OLION HEN ELYN

OLION HEN ELYN

ELGAN PHILIP DAVIES

CYMDEITHAS LYFRAU CEREDIGION GYF

Cyhoeddwyd gan Gymdeithas Lyfrau Ceredigion Gyf.,
Blwch Post 21, Yr Hen Gwfaint, Ffordd Llanbadarn,
Aberystwyth, Ceredigion SY23 1EY.
Argraffiad cyntaf: Gorffennaf 2004
ISBN 1-84512-004-3
Dyluniwyd y clawr gan Adran Ddylunio Cyngor Llyfrau Cymru
Cefnogwyd y gyfrol gan Gyngor Llyfrau Cymru
Argraffwyd gan Creative Print & Design Cymru, Glynebwy NP23 5XW

Nid yn erbyn gwaed a chnawd
Fu ymdrech dynoliaeth cyhyd,
Ond yn erbyn tywysog yr awyr
A gweision tywyllwch y byd.

Rhagair

*Eisteddodd y dyn wrth y bwrdd ac
agor y ffeil. Roedd hi'n drwchus, ac yn
cynnwys tudalennau ar dudalennau o
ysgrifen, diagramau, lluniau a mapiau
o bob math. Trodd y tudalennau'n
araf, gan aros bob hyn a hyn i
ddarllen neu astudio rhywbeth. Ar rai
ohonynt ymgordeddai'r geiriau drwy'r
diagramau gan ffurfio patrymau a
symudai ac a ddisgleiriai fel arian
byw yng ngolau'r lamp ar y bwrdd.*

*Nodiodd y dyn a gwenu. Roedd yn
fodlon ar y gwaith, yn fodlon iawn.
Yno yn y ffeil roedd ffrwyth
blynyddoedd o chwilio, astudio a
chynllunio, ac o'r diwedd roedd y
cyfan o fewn ei afael. Nid oedd y
gwaith wedi bod yn hawdd, ond erbyn
hyn roedd wedi llwyddo i anghofio'r*

rhwystredigaethau, y methiannau, a'r
bywydau a aberthwyd. Doedden nhw
ddim yn bwysig, yn enwedig nawr bod
y cyfan yn dod i fwcl. Roedd popeth
yn ei le a phawb yn barod, yn disgwyl
iddo ef roi'r gorchymyn i ddechrau
pethau – os oedden nhw'n barod neu
beidio.

Gwenodd eto wrth feddwl am y
pŵer oedd ganddo. Popeth yn ei le a
phawb yn barod, ond neb yn gallu
symud heb air ganddo ef.

Symudwch! Arhoswch!

Y fath bleser! Y fath bŵer!

Ac roedd mwy eto i ddod; llawer
llawer mwy. Gallai bron ei gyffwrdd,
bron ei flasu. O'r diwedd, ar ôl yr holl
ymdrech, roedd o fewn ei gyrraedd.
Ychydig amser eto, dyna i gyd,
ychydig amser ac yna...

Trodd i dudalen olaf y ffeil. Arni,
yn yr un llawysgrifen denau, fanwl,
roedd rhestr hir o enwau'r bobl oedd
yn rhan o'i gynllun; rhai o'u gwirfodd,
rhai drwy orfodaeth, ac eraill heb y

syniad lleiaf eu bod yn rhan ohono.
Darllenodd yr enwau a chau ei lygaid
gan flasu seiniau rhai ohonynt a
chofio'r hyn roedden nhw wedi ei
wneud i ddwyn y gwaith i ben.

Ond roedd un enw ar goll. Roedd
ganddo un enw i'w ychwanegu.

Cododd yr ysgrifbin aur o'r bwrdd
a'i agor yn ofalus. Yna ysgrifennodd:

Alice James

Dyna fe. Nawr roedd pawb yn ei le.
Pwysodd yn ôl yn y gadair a gwenu.
'Ar eich marciau . . . barod . . . EWCH!'

✍

Eisteddai Non ar ben y glwyd yn edrych i gyfeiriad Tyddyn Gwyn. Er bod lled cae a llen o wres y prynhawn cynnes, llonydd yn dawnsio'n ysgafn rhyngddi hi a'r tŷ, gallai weld a chlywed y prysurdeb o'i gwmpas yn glir.

Roedd dynion wedi bod yn cario dodrefn a bocsys o'r fan fawr las i mewn i'r tŷ ers canol y bore, ond dim ond dwyawr roedd hi wedi cymryd i dad Non, Wncwl Huw a Mr Mason symud holl eiddo'i theulu hi o Dyddyn Gwyn i dŷ ei thad-cu ar ystad Maes Helyg. Dydd Sadwrn y seithfed o Fai oedd hynny; cofiai Non y dyddiad yn iawn. A heddiw, naw deg diwrnod yn union ers iddi hi a'i rhieni symud allan o Dyddyn Gwyn, roedd y perchennog newydd yn symud i mewn, ond hyd yma doedd dim arwydd bod y dynion yn agos at orffen cario'i eiddo i mewn i'r tŷ.

Yn sydyn, torrwyd ar draws ei myfyrio gan sŵn beic yn sgrialu tuag ati ar hyd y ffordd fawr. Cwynai a gwichiai'r metel rhydlyd wrth iddo daro pob carreg a disgyn i bob twll yn y ffordd.

'Hia, Non!' galwodd y beiciwr, a doedd dim rhaid iddi edrych arno i wybod pwy oedd yno.

'Helô, Cai.'

Roedd y ddau wedi bod yn ffrindiau ers dyddiau'r ysgol gynradd, ac mewn llai na mis fe fydden nhw'n dechrau blwyddyn wyth yn yr ysgol uwchradd.

Neidiodd Cai oddi ar gefn yr hen feic cyn iddo stopio a gadael iddo daro yn erbyn y clawdd. Dringodd i ben y glwyd a syllu i'r cyfeiriad roedd Non yn edrych cyn gofyn, 'Wyt ti'n gwybod pwy sy'n mynd i fyw i'ch tŷ chi?'

'Nadw,' atebodd Non heb dynnu ei llygaid oddi ar y dynion oedd yn cario mwy fyth o focsys o'r fan.

Tynnodd Cai ddarn o bren a chyllell o'i boced ac eistedd yn ei hymyl. 'Wyt ti eisie gwybod?'

'Nadw,' atebodd Non eto, gan geisio'i gorau i ymddangos yn ddi-hid.

Torrodd Cai ddwy linell fer ysgafn ar hyd y pren a dechrau naddu rhyngddynt.

Edrychodd Non arno'n ddiamynedd am rai eiliadau. Roedd Cai ddwy neu dair modfedd yn dalach na hi, a chanddo ddryswch o wallt melynfrown trwchus ar ei ben. Ond am ei fod yn dal *ac* yn denau, fe ymddangosai'n dalach nag yr oedd mewn gwirionedd. Ar un adeg roedd Non wedi bod yn dalach nag ef, ond yn ystod y chwe mis diwethaf roedd Cai wedi tyfu, tra oedd hi wedi aros yr un peth – o ran taldra, beth bynnag, ac ni fyddai wedi cyfaddef wrth neb ei bod hi wedi cynyddu sawl centimetr o ran lled.

Ochneidiodd Non ac ildio. 'Wyt *ti'n* gwybod, 'te?'

Nodiodd Cai, ac ysgydwodd ei wallt fel coedwig mewn corwynt. 'Ydw.'

Ailymddangosodd y dynion yn nrws y tŷ ac oedi yn yr haul i siarad. Edrychodd Non arnyn nhw nes i'w chwilfrydedd gael y gorau ohoni.

'Wel, dwed, 'te.'

'Alice James.'

Doedd yr enw'n golygu dim iddi. Roedd hi wedi gobeithio, gan fod yn rhaid iddyn nhw adael Tyddyn Gwyn, y byddai o leiaf rhywun enwog yn dod i fyw yno.

'O,' meddai'n siomedig. 'A pwy yw Alice James?' gofynnodd wedyn, rhag ofn ei *bod* hi'n rhywun enwog.

'Y weithwraig gymdeithasol o'dd yn arfer galw i weld Mam.'

Roedd newyddion Cai yn mynd yn fwyfwy anniddorol. Trodd Non yn ôl i edrych ar draws y cae a gweld y dynion yn diflannu i gefn y fan fawr las unwaith eto.

'Hi o'dd yn arfer galw ar ôl i dy dad adael?'

Chwythodd Cai ar y pren i glirio'r naddion cyn ateb. 'Ie.'

Roedd bron tair blynedd ers hynny. Gwyddai Non y gallai Cai ddweud i'r diwrnod pryd roedd ei dad wedi gadael. Yn union fel y gallai hi ddweud pryd roedden nhw wedi symud o Dyddyn Gwyn a phryd roedd ei thad wedi mynd i Lundain i weithio. Roedd digwyddiadau pwysig yn gallu newid amser.

Tybed a fyddai gweithwraig gymdeithasol yn galw i weld ei mam hi? meddyliodd. Na, mae'n siŵr mai am fod gan Cai chwaer a brawd iau roedd hi wedi galw gyda nhw.

'Ro'dd hi wastad yn dweud ei bod hi'n hoffi Blaencelyn,' meddai Cai ar draws synfyfyrio Non.

'Pwy o'dd yn dweud hynny?'

'Hi. Y fenyw sy wedi prynu'ch tŷ chi. Bob tro byddai'n galw gyda ni byddai'n dweud, "Dwi *yn* hoffi'r pentref yma",' meddai Cai mewn llais trwynol, tew.

Gwenodd Non; doedd hi erioed wedi gweld Alice James, heb sôn am ei chlywed hi'n siarad, ond os mai dyna'r llais roedd Cai wedi ei roi iddi, yna dyna oedd ei llais hi. Byddai'n rhaid iddi gofio peidio â chwerthin pan fyddai'n ei chlywed hi'n siarad am y tro cyntaf.

Gallai Cai ddynwared unrhyw un: ffrindiau, teulu, athrawon, roedden nhw i gyd wedi dioddef yr un driniaeth. Ond doedd neb wedi teimlo'n ddig; ni fyddai neb byth yn teimlo'n ddig gyda Cai. Yr unig berson nad oedd Non wedi clywed Cai yn ei ddynwared oedd ei dad. Tybed a oedd e'n gallu ei ddynwared, neu a oedd e'n rhy anodd iddo?

'"Fyddai dim gwahaniaeth gen i fyw yn y pentref *hyfryd* yma",' meddai Cai gan ddal i ddynwared Alice James, a chwarddodd Non er gwaethaf ei meddyliau am dad Cai. Onid oedd hi'n rhyfedd, meddyliodd, sut y gallai eistedd yno yn ei ymyl yn siarad am un peth ond yn meddwl am rywbeth hollol wahanol. Edrychodd arno. Tybed a oedd e'n meddwl am rywbeth ar wahân i'r pren roedd yn ei naddu?

Mae'n siŵr ei fod yn gallu naddu heb feddwl amdano. Roedd Cai byth a beunydd yn naddu rhywbeth; cath i Seran neu iâr i Dyfan, ei chwaer a'i frawd, yn union fel roedd ei dad wedi arfer naddu teganau iddo ef pan oedd e'n fach. Cofiai Non yn iawn am geffyl bychan yn carlamu, a'i fwng a'i gynffon yn chwythu yn y gwynt. Ar un adeg, hwnnw oedd hoff degan Cai ac fe âi ag ef i bobman. Roedd Non hefyd wedi dwlu arno. Ar ôl Beca ei chaseg hi, ceffyl pren Cai oedd y ceffyl pertaf roedd hi erioed wedi ei weld.

'Wyt ti wedi gweld Graham yn ddiweddar?' gofynnodd Non, er mwyn meddwl am rywbeth arall ar wahân i Beca.

'Nadw. Dwi wedi bod yn brysur.'

'Yn gwneud beth?'

'Helpu Seimon Morris yn yr ysgoldy.'

'Beth wyt ti'n feddwl, "helpu"?'

'Cymysgu sment, cario coed, pob math o bethau.' Swniai Cai fel petai'n brolio, ond gwyddai Non nad oedd e'n un i wneud hynny.

Yn sicr roedd digon o waith i'w wneud ar yr hen ysgoldy. Roedd yr adeilad wedi bod mewn cyflwr gwael ers amser, ymhell cyn i Seimon Morris symud i'r pentref ar ddechrau'r flwyddyn a bwrw ati i'w adnewyddu. Doedd gan neb fawr syniad pwy oedd Seimon Morris nac o ble'r oedd e wedi dod, ond roedd Cai, fel arfer, nid yn unig yn ei adnabod, ond roedd hefyd yn gyfeillgar â'r dyn.

'Mae e'n siŵr o fod yn chwarae ar ei gyfrifiadur,' meddai Cai, gan chwythu rhagor o'r naddion o'r pren.

'Pwy . . . ?' dechreuodd Non ofyn, ond yna sylweddolodd ei fod yn sôn am Graham. Weithiau roedd hi'n anodd cadw i fyny â Cai; gwibiai ei feddwl fan hyn a fan draw fel cacynen.

'Bydd rhaid i ni ddechrau'r project cyn bo hir,' meddai Non yn gydwybodol. 'Dim ond tair wythnos sy ar ôl gyda ni.'

'Bydd,' cytunodd Cai, ond heb ddangos dim brys na brwdfrydedd.

Roedd 'Mussolini' Mathews, yr athro hanes,

wedi rhoi cywaith hanes lleol i ddisgyblion blwyddyn saith i'w wneud dros wyliau'r haf, a gan fod Non, Cai a Graham yn byw yn yr un pentref, roedd Mr Mathews wedi dewis hanes Plas Alltlwyd fel eu cywaith nhw.

Hen blasty ar gyrion pentref Blaencelyn oedd Plas Alltlwyd, ac fel yr ysgoldy roedd wedi gweld dyddiau gwell. Doedd neb wedi byw ynddo ers blynyddoedd lawer ac roedd y lle'n adfail cyn i Non a Cai gael eu geni. Ond roedd hi'n amlwg bod Mr Mathews yn meddwl bod hanes diddorol i'r lle, os nad oedd neb arall.

'Ti'n cytuno, 'te?' pwysodd Non.

'Wel . . . '

'Beth am inni fynd i weld Graham nawr?'

'Nawr?'

'Ie.'

'Beth, nawr nawr?'

'Ie, nawr nawr.'

'O, iawn,' ochneidiodd Cai, 'os wyt ti moyn,' ac fe gaeodd ei gyllell a'i gwthio hi a'r darn pren yn ôl i'w boced cyn neidio i'r llawr.

Cododd Non a dechrau disgyn o ben y glwyd. Safodd ar un o'r asennau canol a throi i edrych i gyfeiriad Tyddyn Gwyn unwaith eto; roedd y dynion yn dal i gario bocsys.

PENNOD 2

'Ble y'ch chi am i fi roi'r bocs 'ma?'

Cerddodd Alice James allan o'r gegin gan sychu'r chwys oddi ar ei thalcen â chefn ei llaw dde. Gwraig fechan gron oedd hi, a hoffai wisgo dillad hir llaes o liw glas neu borffor tywyll; dillad oedd yn llawer mwy addas i dywydd oer y gaeaf nag i ddiwrnod crasboeth o haf.

Edrychodd ar y bocs a gariai'r dyn, meddwl am eiliad ac yna dweud, 'Yn yr ystafell gefn ar y dde i fyny'r grisiau. A bydd yn ofalus; mae pethau gwerthfawr iawn ynddo fe.'

'Iawn,' meddai'r dyn yn ddiamynedd, gan godi'r bocs ychydig yn uwch yn ei freichiau.

'Faint sy ar ôl ar y fan?'

'Ddim yn siŵr,' meddai'r dyn, gan wthio heibio iddi. Roedd y bocs yn llawer rhy drwm a'i ddwylo'n llawer rhy chwyslyd iddo aros yno i siarad.

'O!' ochneidiodd Alice James, gan gerdded at y fan i weld drosti ei hun.

Cerddodd y dyn yn araf drwy'r cyntedd a

oedd yn llawn bocsys o bob maint a siâp. Os oedd trefn arnyn nhw, ni allai ef ei gweld. Ond o leiaf roedd y grisiau, er yn gul ac yn dywyll, yn glir o unrhyw focsys a allai ei rwystro a'i faglu. Dechreuodd ddringo, ond gan fod y bocs a gariai yn llawer rhy fawr iddo allu gweld drosto, roedd yn rhaid iddo deimlo'i ffordd ymlaen â'i draed. Roedd wedi cario digon o bethau i fyny'r grisiau yn ystod y dydd i wybod mai pedair ar ddeg o risiau oedd o'r cyntedd i'r landin ac fe gyfrodd bob un ohonyn nhw nawr.

Cyrhaeddodd ben y grisiau a cheisio codi'r bocs yn uwch yn ei freichiau unwaith eto cyn ei droi a'i gael yn sgwâr gyda drws yr ystafell gefn er mwyn iddo allu cerdded drwyddo. Ond wrth iddo droi, trawodd ei benelin yn erbyn y wal a theimlodd y bocs yn llithro o'i afael. Plygodd ei goesau yn y gobaith y byddai'n gorffwys ar ei ben-glin ac y câi gyfle i ailafael yn iawn ynddo, ond roedd yn rhy fawr ac yn rhy letchwith, a chollodd ei afael yn llwyr. Disgynnodd y bocs ar y landin â chlec galed.

'O, ca . . . caws!'

Cydiodd yn y bocs a'i osod ar ei draed, a dyna pryd y clywodd sŵn rhywbeth yn symud y tu mewn iddo.

Suddodd ei galon. 'Pethau gwerthfawr iawn', roedd hi wedi'i ddweud, ac os oedd ef wedi eu torri fe fyddai'n rhaid iddo dalu amdanyn nhw.

Ond doedd dim rhaid bod unrhyw beth wedi torri, meddyliodd. Efallai mai rhywbeth oedd wedi dod yn rhydd oedd yn cadw sŵn, ac os allai ef ei roi yn ôl yn ei le, fyddai dim rhaid i neb wybod am y ddamwain.

Penliniodd yn ymyl y bocs a chydio yn un pen y tâp glud llwyd a gadwai'r caead ar gau a'i rwygo'n ôl. Cododd un ochr y caead ac edrych i mewn.

'Llestri,' meddai wrtho'i hun pan welodd y peli crwn o bapur newydd, a suddodd ei galon yn is. Os mai llestri oedd wedi torri, doedd ganddo ddim gobaith celu'r peth. Gwthiodd ei law drwy'r rhes uchaf o bapur a chanfod gwagle oddi tanynt.

'Beth ar y . . . ?'

Os oedd y bocs yn wag, sut ar y ddaear roedd e mor drwm? Symudodd ei law o gwmpas y gwagle ond doedd dim byd yno. Gwthiodd ei fraich yn ddyfnach fyth nes ei fod yn cyffwrdd â gwaelod y bocs, yna tynnodd ei law ar hyd yr ymylon a'i gwthio i'r corneli, a dyna pryd y cyffyrddodd â rhywbeth. Rhywbeth crwn, caled ac oer.

Saethodd yr oerfel fel nodwyddau trwy flaenau ei fysedd a pharlysu ei law.

'Aaaawww!' sgrechiodd a thynnu ei law allan.

Ond ni stopiodd y parlys. Lledodd i fyny ei fraich at ei benelin. Cododd ar ei draed a thynnu ei fraich at ei gorff a'i rhwbio i'w chynhesu. Ond parhau i ledu a wnaeth y parlys, a oedd yn awr yn annioddefol, nes cyrraedd ei ysgwydd.

Camodd yn ôl ar y landin a llithrodd ei droed oddi ar y ris uchaf. Disgynnodd bendramwnwgl i lawr y grisiau gan lanio ar ei gefn ar y llawr islaw.

Roedd ei gydweithwyr ac Alice James wedi clywed ei sgrech a rhuthrodd pobl i'r cyntedd o sawl cyfeiriad. Plygodd y dynion yn ei ymyl a'i archwilio'n ofalus rhag ofn ei fod wedi torri esgyrn.

'Oooooo,' griddfanodd.

'Beth ddigwyddodd?' gofynnodd un o'r dynion.

Ond o'r olwg bŵl, bell yn ei lygaid fe wyddai'r lleill y byddai cryn amser cyn y byddai'n gallu cofio dim.

Camodd Alice James heibio i'r dynion ac edrych i fyny i ben y grisiau at y bocs agored ar y landin.

Crychodd Seimon Morris ei dalcen gyda'r ymdrech i dynnu'r hen hoelen allan o'r llechen, ac o'r diwedd gwichiodd yr hoelen a chodi'n rhydd o'r pren. Cododd Seimon y llechen a dechrau disgyn yr ysgol i'w hychwanegu at y pentwr a bwysai yn ymyl wal yr ysgoldy.

Hanner cododd Gel, y ci defaid, ei phen i gydnabod ei bresenoldeb, ond ni fentrodd allan o gysgod yr adeilad lle gorweddai allan o wres gormesol yr haul.

'Ie, mae'n iawn i ti,' meddai Seimon wrthi, 'ond does dim dewis gan rai ohonon ni.'

Siglodd yr ast ei chynffon yn ddioglyd mewn ymateb i lais ei meistr, ond yr eiliad nesaf roedd ar ei thraed yn gwbl effro.

'Be sy, Gel?'

Edrychai'r ast tua'r pentref, ei chlustiau'n crynu'n ddisgwylgar, a sŵn heriol, bygythiol yn rhygnu'n isel yn ei gwddf.

Trodd Seimon Morris ei ben a syllu'n dawel i gyfeiriad Tyddyn Gwyn.

PENNOD 3

Gwasgodd Non gloch y drws am y trydydd tro a chadw'i bys arni.

'Falle nad yw e gartre,' meddai Cai yn obeithiol.

'Wrth gwrs ei fod e. Mae e wedi dod 'nôl o'i wyliau, a dyna'r unig bryd mae e'n mynd i unman.'

Roedd hynny'n wir. Prin iawn y byddai Graham Hughes i'w weld o gwmpas y pentref os nad oedd yn rhaid iddo fynd allan. Roedd yn llawer gwell ganddo aros yn ei ystafell wely gyda'i gyfrifiaduron a'i gêmau, yn syrffio'r we neu'n sgwrsio â rhywun ym mhen draw'r byd.

Plygodd Cai a gwthio caead y blwch llythyrau ar agor.

'Paid!' gwaeddodd Non gan ei daro ar ei ysgwydd.

Anwybyddodd Cai hi a syllodd ar hyd y cyntedd hir. Gallai glywed y gloch yn canu'n glir ond doedd dim arwydd o fywyd yn unman. 'Does neb yma,' meddai, gan ddal i obeithio na fyddai'n rhaid iddyn nhw ddechrau'r cywaith hanes. Ond yna, o un o'r ystafelloedd yng nghefn y tŷ daeth mam-gu Graham i'r golwg a cherdded yn sigledig tuag at y drws.

Cododd Cai a gollwng y caead. 'Mae ei fam-gu'n dod,' sibrydodd yn frysiog.

Tynnodd Non ei bys o'r gloch. 'Shwd olwg sy arni?'

Crychodd Cai ei drwyn a throi ei law dde yn ôl ac ymlaen yn yr awyr.

Clywodd y ddau hi'n cyrraedd y drws ac yna'n straffaglu i geisio'i ddatgloi. Safon nhw'n llonydd a'r haul cynnes ar eu cefnau gan deimlo'n lletchwith; roedden nhw am alw arni a dweud wrthi sut i agor y drws, ond gwydden nhw na fyddai hynny o gymorth iddi a bod yn rhaid ei gadael i wneud pethau yn ei hamser ei hun. O'r diwedd agorodd y drws a safodd Mrs Hughes yno a'i llygaid wedi eu hanner cau rhag yr haul cryf.

'O, helô, chi'ch dau sy 'na,' meddai, gan wenu pan adnabu Non a Cai.

'Helô, Mrs Hughes, ydi Graham gartre?' holodd Non.

'Odi, dwi'n credu, ond dwi ddim yn siŵr iawn ble mae e,' ac fe drodd yn araf i edrych y tu ôl iddi, rhag ofn ei fod yn sefyll yn y cyntedd. 'Nawr 'te, ble all e fod?' pendronodd, gan godi ei llaw i wthio cudyn o wallt yn ôl i'w le.

'Falle'i fod e yn ei stafell wely,' awgrymodd Cai.

'Bosib iawn,' cytunodd Mrs Hughes. 'Odych chi am fynd lan i weld?'

'Os gwelwch yn dda,' meddai Non.

'Chi'n gwbod y ffordd, on'd y'ch chi?'

'Ydyn,' meddent, gan gamu i mewn allan o'r haul.

'Licech chi gael rhywbeth i'w yfed?'

'Diolch,' atebodd y ddau a deimlai'n sychedig iawn.

'Iawn, fe ddo i â rhywbeth lan i chi mewn munud.'

Dringodd Non a Cai y grisiau llydan yn araf er mwyn gwneud yn siŵr bod mam-gu Graham wedi cau'r drws a dychwelyd i'r ystafell fyw cyn iddyn nhw gyrraedd y landin. Unwaith y diflannodd hi o'r cyntedd newidiodd osgo Cai; daliodd ei fys at ei wefusau a chamu'n llechwraidd ar hyd y landin.

Siglodd Non ei phen a chodi ei haeliau tua'r nenfwd. Curodd Cai ar ddrws ystafell wely Graham a galw, 'Graham Hughes!' yn llais Mussolini Mathews. 'Graham Hughes, agora'r drws ar unwaith, dwi'n gwybod dy fod ti yna.'

Trodd at Non a gwenu.

'Agora fe dy hunan, Mussolini, neu wyt ti'n rhy wan?' galwodd llais o'r tu mewn i'r ystafell.

Diflannodd y wên o wyneb Cai ac agorodd y

drws. 'Shwd o't ti'n gwybod mai fi o'dd 'na?' gofynnodd yn siomedig.

'Wel, do'n i ddim yn mynd i gredu mai Mussolini o'dd 'na, o'n i?' atebodd Graham heb dynnu ei lygaid oddi ar sgrin y cyfrifiadur. 'A beth bynnag, weles i chi'n cerdded at y tŷ.'

'Pam nad atebest ti'r drws, 'te?' gofynnodd Non, gan ddilyn Cai i mewn i'r ystafell. 'Ganon ni'r gloch am hydoedd.'

'Dwi ond yn agor y drws pan dwi eisie gweld y bobl sy 'na.'

'A dwyt ti ddim eisie'n gweld ni?'

'Cywir!' ebychodd Graham gan ddal i ganolbwyntio ar y sgrin o'i flaen.

Edrychodd Non arno. Wyddai hi ddim a oedd e o ddifri neu beidio. Doedd hi byth yn gwybod sut i'w gymryd. Roedd e mor wahanol i Cai a oedd yn hoffi hwyl a chwmni; roedd yn well gan Graham aros yn y tŷ ar ei ben ei hun gyda'i gyfrifiaduron a'i declynnau electronig.

'Beth wyt ti'n neud?' gofynnodd Cai, gan gynnau un o'r cyfrifiaduron eraill oedd ar y bwrdd hir yr eisteddai Graham wrtho.

'Trio hacio i mewn i bencadlys lluoedd arfog America.'

'Beth!' sgrechiodd Non.

'Gêm,' esboniodd Cai.

'O,' meddai Non yn dawel; roedd hi wedi cymryd Graham y ffordd anghywir unwaith eto.

Trodd oddi wrth y ddau. Doedd hi ddim yn deall apêl gêmau cyfrifiadur. Roedd hi'n gyfarwydd â defnyddio cyfrifiaduron yn yr ysgol i chwilio am wybodaeth, ysgrifennu aseiniadau ac anfon ambell e-bost, ond eistedd o flaen un am oriau yn chwarae gêmau? Allai hi ddim meddwl am ddim byd mwy diflas.

Edrychodd o gwmpas yr ystafell wely oedd ddwywaith maint ystafell fyw tŷ ei thad-cu, ac ar yr holl beiriannau a'r offer electronig a orchuddiai bob silff a chwpwrdd. Roedd yno deledu a pheiriant fideo, peiriant DVD, system sain, peiriant i chwarae cryno ddisgiau, peiriant i recordio cryno ddisgiau, a sawl peiriant bach a mawr arall nad oedd gan Non y syniad lleiaf beth oeddynt. Dim ond iddo ofyn i'w rieni ac fe gâi Graham unrhyw beth ganddyn nhw.

Roedd Graham yn ffodus fod ei ystafell yn ddigon mawr i gadw'r holl declynnau. Ond wedyn roedd y tŷ o leiaf bedair gwaith maint unrhyw dŷ arall ym Mlaencelyn. Cwmni adeiladu tad Graham oedd wedi codi'r tŷ, ac nid hwnnw oedd unig fusnes y teulu. Roedd ei fam yn rhedeg busnes paratoi brechdanau ar gyfer nifer o siopau'r dref, a gan fod y ddau'n gweithio oriau hir, dim ond Graham a'i fam-gu fyddai yn y tŷ mawr yn aml iawn — hi yn yr ystafell gefn ac ef yn ei ystafell wely.

Roedd Non wedi adnabod Graham erioed, ac

ar adegau wedi bod yn eiddigeddus ohono. Ond ers i'w mam ddechrau gweithio yn ei dŷ fel glanhawraig, roedd hi wedi clywed llawer mwy am Graham a'i deulu, ac nid oedd mor eiddigeddus ohono bellach.

'Hei!' gwaeddodd Non ar draws sgrechfeydd a sgrialu'r gêmau. 'Shwd allet ti fod wedi'n gweld ni'n dod i'r tŷ os o't ti'n chwarae ar y cyfrifiadur?'

'Hawdd,' meddai Graham, ac fe wasgodd fotwm ar yr allweddell. Newidiodd y llun ar y sgrin ac yn lle'r ffigurau bach yn rhedeg am eu bywydau drwy ystafelloedd tywyll, bygythiol, gwelodd Non ardd fawr, heulog, a llwybr llydan a blodau . . .

'Eich gardd chi yw honna!'

Pwysodd Cai yn ôl yn ei gadair i edrych ar sgrin Graham. 'CCTV,' meddai.

Nodiodd Graham.

Teclyn arall, meddyliodd Non. Yna gofynnodd, 'Wyt ti'n gallu gweld pawb sy'n dod i'r tŷ?'

'Dyna shwd weles i chi.' Gwasgodd Graham y botwm unwaith eto. Diflannodd yr ardd ac ailymddangosodd yr ystafelloedd tywyll, bygythiol a'r ffigurau bach yn rhedeg am eu bywydau.

'Wyt ti wedi llwyddo i fynd heibio i'r larwm yn y bwced tân?' gofynnodd Cai.

'Wrth gwrs 'ny,' atebodd Graham yn ddirmygus.

'Beth am yr eryr?'

'Ro'n i'n meddwl mai dim ond cerflun o'dd hwnnw.'

'Aaa! Ti a deg miliwn arall. Mae'n rhaid i ti ddod ato o'r cyfeiriad iawn.'

Siglodd Non ei phen a rhyfeddu sut y gwyddai Cai gymaint am gêmau cyfrifiadurol pan nad oedd ganddo ef gyfrifiadur gartre, na hyd yn oed teledu. Efallai mai dewis ei fam, a dreuliai ei holl amser yn peintio lluniau rhyfedd, oedd hynny, ond doedd hi ddim yn ymddangos bod Cai yn poeni llawer am ei golled. Roedd yn well o lawer ganddo ef dreulio oriau yn darllen nofelau ffantasi am fydoedd dychmygol a phobl ddi-nod yn tyfu'n arwyr ac yn gorchfygu rhyw ddrygioni mawr oedd yn bygwth eu byd.

Ond er mai dyna hoff ddeunydd darllen Cai, fe ddarllenai bob math o lyfrau eraill hefyd, ac yn ogystal â'r hyn a ddysgai o lyfrau, roedd hi fel petai e'n amsugno gwybodaeth o'r awyr o'i gwmpas. Gwyddai rywbeth am bopeth.

'Hem! Esgusodwch fi,' meddai Non, ar ôl gobeithio'n groes i bob rheswm a synnwyr y byddai'r ddau'n rhoi'r gorau i'w gêmau. 'Ro'n i'n meddwl mai wedi dod yma i weithio o'n ni.'

'Gwaith?' meddai Graham. 'Dyma'r cynta i fi glywed am waith.'

'Y cywaith hanes,' meddai Cai. 'Mae Non yn credu y dylen ni ddechrau arno.'

Siglodd Graham ei ben mewn protest. 'Na! Na! Mae e'n llawer rhy *boring*.'

'Dwi'n cytuno,' meddai Cai. 'Ond dwi hefyd yn cytuno â Non; bydd rhaid i ni ei wneud e rywbryd.'

'Ie, ie,' meddai Graham gan ddal i ganolbwyntio ar y gêm. 'Ac ar ôl i ni wneud y gwaith i gyd, fydd Mussolini ddim hyd yn oed yn edrych arno fe.'

'Wyt ti wedi gwneud rhywbeth yn barod?' gofynnodd Non.

'Nadw,' meddai Graham, gan grychu'i dalcen a siglo'i ben mewn syndod bod Non yn gofyn y fath gwestiwn dwl. 'Ond mae'n siŵr y bydd deg munud ar y cyfrifiadur yn ddigon o amser i gasglu'r holl wybodaeth.'

'Wyt ti wedi cael rhywbeth, Non?' gofynnodd Cai.

'Wel, dwi wedi cael lot o stwff gan Tad-cu …'

'Hy!' ebychodd Graham.

'Dwedodd Mr Mathews y dylen ni ddefnyddio pob math o ffynonellau, gan gynnwys pobl yr ardal, i gael gwybodaeth,' protestiodd Non.

'Fydde fe ddim wedi dweud hynny petai e'n adnabod dy dad-cu,' meddai Graham yn ddirmygus.

'Wel, falle na fydde,' meddai Non, a oedd yn

gorfod cydnabod tuedd ei thad-cu i ymestyn a gorliwio popeth.

'Felly, dyna i gyd sy gyda ni,' meddai Graham. 'Storïau anhygoel ac anghredadwy Edward Owen.'

'Ie,' meddai Non yn ymddiheurol.

'Ddim yn hollol,' meddai Cai.

'O?'

'Mae gyda fi rywfaint o wybodaeth.'

'Swot!' cyhuddodd Graham ef.

'Beth yw e?' gofynnodd Non yn frwdfrydig.

'Ddim "beth" ond "pwy".'

'Ffynhonnell lafar arall?'

'Ie.'

'Pwy?'

'Seimon Morris.'

'Pwy?' gofynnodd Graham. 'Hwnna sy'n byw yn yr hen garafán?'

'Beth mae e'n ei wybod am hanes yr ardal?' gofynnodd Non. 'Newydd symud yma mae e.'

'Dwi'n gwybod,' atebodd Cai. 'Ond mae'n ymddangos fel petai'n gwybod popeth am Flaencelyn, y pentre a'r bobl.'

PENNOD 4

Ddwyawr yn ddiweddarach, eisteddai Non wrth fwrdd y gegin yn llenwi gwydr tal â diod. Roedd y gegin yn boeth ac yn llawn aroglau coginio. Safai ei mam wrth y bwrdd yn rholio toes, gan edrych fel petai bron â gwywo yn y gwres.

'Ond pam nad wyt ti am fynd i Dyddyn Gwyn?' gofynnodd ei mam iddi, gan godi'r cylch mawr o does a'i osod yn dwt ar ben y mafon oedd wedi eu taenu ar draws wyneb y plât.

Cododd Non ei hysgwyddau cyn yfed y gwydraid o ddiod ar ei ben.

'Dwi wedi gwneud tarten i Miss James; anrheg i'w chroesawu. Gan mai newydd symud mewn mae hi, dwi'n amau a fydd ganddi lawer o fwyd yn y tŷ.'

'Fydde'n well 'da fi beidio,' meddai Non, gan ddechrau chwarae â darnau o'r toes ar y bwrdd.

Rhoddodd ei mam ei llaw ar ei braich.

'Dwi'n gwybod bod gadael Tyddyn Gwyn wedi bod yn anodd i ti, ond mae'n rhaid i ni wneud y gore o bethau nawr. Byddai'n well o lawer gan Dad fod yma nag yn Llundain hefyd, ond dyna lle mae'r gwaith.'

Ochneidiodd Non.

'Dwi'n gwybod hynny,' meddai, 'ond . . . ' Allai hi ddim dweud mwy; roedd y cyfan wedi ei ddweud a'i ail-ddweud droeon o'r blaen nes ei fod yn gwmwl parhaol o gwmpas y tŷ.

'Dere 'mlaen,' anogodd ei mam. 'Alla i ddim mynd draw; ddim fel hyn,' a lledodd ei breichiau i ddangos y blawd ar ei ffedog. 'Bydd e'n gyfle da i ti gwrdd â Miss James.'

'Alice James?' meddai Tad-cu wrth ymddangos yn nrws y cefn ac ychwanegu gwynt gwair a phridd at aroglau'r gegin. 'Menyw ffein. Gwrddes i â hi yn y Llew Du neithiwr. Menyw ffein iawn.'

Ciciodd ei esgidiau trwm oddi ar ei draed a cherdded yn nhraed ei sanau at y sinc i olchi ei ddwylo.

'Ro'dd hi'n dangos diddordeb mawr yn hanes yr ardal,' meddai, gan dasgu dŵr a swigod sebon i bobman. 'Elin, wyt ti'n gwbod ble ma'r llyfr 'na ar chwedle'r ardal brynes i yn ffair Nadolig yr ysgol rai blynydde 'nôl?'

'Wydden i ddim fod gyda chi lyfr ar chwedlau'r ardal,' meddai mam Non, gan ddechrau torri'r toes o amgylch y plât.

'Paid dweud nad wyt ti wedi'i weld e; ro'dd e ar

y silff ar bwys y tân cyn i ti ddechre symud pethe. Petai pobl yn gadael pethe lle dwi'n eu rhoi nhw fydde dim problem, ond os y'n nhw'n mynnu eu . . . '

'Wnei di fynd â'r darten, Non?' gofynnodd ei mam, gan anwybyddu cwynion Tad-cu.

'O, iawn 'te,' meddai Non, gan godi'n gyndyn.

'Alli di alw i weld Beca ar dy ffordd 'nôl,' meddai Tad-cu wrthi.

Goleuodd wyneb Non ac aeth i'r pantri i nôl y tun bisgedi.

'Aaa,' meddai Mam gan roi'r darten mewn basged. 'Ffoniodd Mrs Bruce gynnau.'

'Ie?' meddai Non, gan dynnu dyrnaid o fisgedi o'r tun. Pan symudodd y teulu o Dyddyn Gwyn bu'n rhaid i Non werthu Beca, ac roedd Mrs Bruce, a oedd yn rhedeg canolfan ferlota ar ei fferm ar gyrion y pentref, wedi ei phrynu.

'Gofynnodd hi a allet ti beidio mynd â bisgedi i Beca. Mae hi'n trio'i chael hi i fwyta'r un bwyd â'r merlod eraill, ond mae'n anodd newid ei harferion bwyta.'

'O!' meddai Non, gan daflu'r bisgedi yn ôl i'r tun. 'Well i fi beidio mynd o gwbl, 'te!'

'Dere 'mlaen, paid pwdu.'

'A dwed wrth Miss James y dof i â'r llyfr chwedle i'r Llew Du heno,' meddai ei thad-cu cyn edrych ar ei mam ac ychwanegu, 'os alla i ddod o hyd iddo fe.'

Cydiodd Non yn y fasged a cherdded allan o'r tŷ. Y tu ôl iddi clywai ei mam a'i thad-cu yn dadlau am y llyfr.

PENNOD 5

Pwysai'r haul cynnes i lawr ar ei hysgwyddau a'i phen wrth i Non groesi'r cae rhwng ystad Maes Helyg a'r lôn a arweiniai i Dyddyn Gwyn. Roedd wedi cerdded ar hyd y ffordd honno o dŷ ei thad-cu gannoedd o weithiau o'r blaen, ond dyma'r tro cyntaf iddi wneud hynny ers iddyn nhw symud. Cyrhaeddodd y bwlch yn y clawdd a gwthio'i ffordd drwyddo, yna cerddodd yn ei blaen ar hyd y lôn gan gicio'r cerrig mân wrth fynd, a chodi cymylau o lwch i'r awyr lonydd.

Teimlai Non yn fwy rhyfedd gyda phob cam a gymerai. Roedd popeth mor gyfarwydd, ond eto edrychai mor ddieithr. Roedd y cyfan o'i chwmpas yn rhan ohoni, ond nawr doedd hi ddim yn rhan ohono ef.

Gwelodd y coed afalau uwchben clawdd yr ardd. Galwai ei thad nhw'n berllan, er mai dim ond hanner dwsin o goed oedd yno i gyd. Roedd rhaffau'r siglen roedd ef wedi eu clymu wrth un o ganghennau'r coed yn dal yno. Pan oedd hi'n iau roedd hi wedi treulio oriau arni yn dysgu sut i siglo'n uwch ac yn uwch; tynnu ei choesau'n ôl oddi tani pan âi'r siglen yn ôl, ac yna gwthio'i choesau allan yn syth o'i blaen pan âi'r siglen ymlaen. I fyny yn uwch ac yn uwch yr âi gan deimlo'r ieir bach yr haf yn ffrwydro yn ei stumog wrth iddi gyflymu a chodi.

'Cymer ofal!' byddai ei mam wastad yn dweud wrthi.

'Gad iddi,' dywedai ei thad. 'Mae'n dwlu ar yr ofn.'

Ac roedd hynny'n wir. Er ei bod yn ymwybodol o'r perygl, roedd y pleser o godi'n uchel uwchben pawb yn ei gwneud yn ddi-hid ohono. Roedd hi wedi byw a bod ar y siglen, a byddai'n ddigon naturiol iddi fynd arni unwaith eto. Ond allai hi ddim. Ddim ei siglen hi oedd hi bellach. Miss James oedd biau hi nawr. Miss James oedd biau popeth nawr.

Cyrhaeddodd Non yr iard fechan o flaen y tŷ lle'r oedd y fan las wedi bod am ran fwyaf o'r dydd. Roedd hi wedi hen fynd erbyn hyn, ond o gwmpas y drws agored roedd tyrau o focsys, rholiau o garpedi a chlytwaith o addurniadau rhyfedd iawn yr olwg yn dal i ddisgwyl cael eu cario i mewn i'r tŷ.

Edrychodd Non ar bentwr o fasgiau pren ac iddynt lygaid llydan, cegau cul a chlustiau hir. Ar eu pwys roedd basged wellt fawr yn llawn cerfluniau o bob math: rhai bychain melyn tew;

rhai tal tenau du; rhai coch â chyrff bychain a phennau mawr.

Hen bethau hyll! meddyliodd Non, ac roedd hi'n pendroni pam y byddai rhywun am gael y fath bethau yn ei gartref pan gerddodd Alice James allan drwy'r drws.

'O!' meddai Non, wedi ei synnu gan ei hymddangosiad sydyn.

'O!' meddai Alice James hithau, yr un mor syn o weld rhywun yn sefyll yno.

'Helô,' meddai Non.

'Beth wyt ti'n ei wneud yn busnesan o gwmpas fan hyn?' cyfarthodd Alice James, gan geisio cuddio rhywbeth a ddaliai yn ei llaw y tu ôl i'w chefn ar yr un pryd. Clywodd Non ddynwarediad Cai yn ei llais trwynol, tew, ond doedd dim perygl iddi chwerthin.

'Dwi ddim yn busnesan,' atebodd yn amddiffynnol. 'Dod â hon i chi o'n i.'

Edrychodd Alice James yn amheus ar y fasged.

'Tarten,' esboniodd Non. 'Ro'dd Mam yn meddwl na fydde gyda chi ddim byd i'w fwyta, ac y byddech chi'n hoffi cael anrheg croeso.'

Meddalodd yr olwg ar wyneb Alice James a cheisiodd wenu. 'A pwy yw dy fam?' gofynnodd. Disgwyliai Non iddi ychwanegu 'ferch fach' i'r cwestiwn, ond er nad oedd Alice James wedi ei ddweud, roedd i'w glywed yn amlwg yn ei llais.

'Elin Owen, ro'n ni'n arfer byw yma.'

'Wyres Edward Owen wyt ti?'

'Ie.'

'Pam na fyddet ti wedi dweud?' ac fe ledodd y wên. 'Tyrd i mewn i'r tŷ.'

'Na, dim ond . . . '

'O, tyrd,' ymbiliodd Alice James ar ei thraws, a'i gwên bron yn lletach na'i cheg. 'Mae gen i sudd oren a lemon ffres yn y gegin, jyst y peth i dorri syched ar ddiwrnod poeth. Beth amdani?'

'Wel . . . '

'Da iawn,' ac arweiniodd Alice James y ffordd i mewn i'r tŷ. 'Mae'r gegin fan'na ar y dde. Cer drwodd; bydda i gyda ti mewn eiliad.' Diflannodd i'r ystafell fyw, yn dal i guddio beth bynnag oedd ganddi yn ei llaw.

Cerddodd Non i mewn gan deimlo'n grac gydag Alice James am ddweud wrthi ble'r oedd y gegin. Gwyddai'n iawn ble'r oedd y gegin. Onid oedd hi wedi chwarae, chwerthin, bwyta, helpu ei mam i goginio, cael sterics a thaflu i fyny yno ar hyd y blynyddoedd?

A rhywle yn y gorffennol, mewn amser arall, yn yr union le yma, roedd hi'n dal i wneud pob un o'r pethau hynny. Ond wyddai Alice James ddim byd am y rheini. Dim ond ystafell ar y dde i'r drws cefn oedd y gegin iddi hi.

'Nawr 'te, rhywbeth i'w yfed, ie?' meddai

Alice James gan ailymddangos yn rhwbio'i dwylo am yn ail â gwthio'i gwallt yn ôl i'w le. 'Nia yw dy enw di, yntê?'

'Non.'

'O, ie, wrth gwrs, Non; mae 'nghof i fel gogor,' ac fe drawodd ei phen â'i llaw dde gan chwerthin. 'Nawr 'te, ble'r oeddwn i? O, ie,' a churodd ei dwylo. 'Diod.'

Aeth i'r oergell a thynnu jwg wydr allan. Yna agorodd a chaeodd nifer o'r cypyrddau cyn dod o hyd i wydrau. Tra oedd hi'n gwneud hynny parablai fel pwll y môr am ei chof, y diffyg trefn ar y tŷ, a'i blerwch cyffredinol ynglŷn â phopeth.

Ond nid dyna'r argraff roedd Non wedi ei chael ohoni, ac roedd hi'n dechrau amau mai cymryd arni ei bod yn berson anghofus oedd hi. Gadawodd i'r parablu olchi drosti tra edrychai o gwmpas y gegin lle'r oedd rhagor o focsys ar hanner eu dadbacio, a'u cynnwys wedi'i daenu ar draws y llawr ac ar hyd y bwrdd. Roedd yn rhyfedd iawn gweld llestri ac offer dieithr ar y silffoedd cyfarwydd.

Ond y peth rhyfeddaf oedd sylweddoli mai cegin Alice James ac nid cegin ei mam oedd hi bellach. Ac yn sicr doedd Alice James yn ddim byd tebyg i'w mam; roedd hi o leiaf bymtheng mlynedd yn hŷn na hi, hanner troedfedd yn fyrrach a throedfedd yn lletach. Roedd hyd yn oed ei dillad llaes tywyll yn gwbl wahanol i ddillad ei mam.

'Dwi'n credu y byddwn ni'n dwy'n ffrindiau da,' meddai Alice James ar draws synfyfyrio Non, gan estyn gwydraid o ddiod iddi. 'Mae'n rhaid i ni ferched sticio gyda'n gilydd, on'd oes?'

Yfodd Non ychydig o'r ddiod fel na fyddai'n rhaid iddi ateb. Roedd y ddiod yn dda, yn oer ac yn flasus heb fod yn rhy felys. Cododd Alice James ei gwydr hithau i'w gwefusau, gwenu ac edrych o'i chwmpas yn nerfus.

'Bydd yn rhaid i ti ddod yma eto pan fydda i wedi cael trefn ar bethau. Bydda i'n falch o'r cwmni a finnau'n byw yma ar fy mhen fy hun.' Gwenodd ac ychwanegu, 'A dwi'n disgwyl i ti ddangos pob twll a chornel o'r tyddyn i fi hefyd. Fentra i nad oes neb yn adnabod y lle yma'n well na ti.'

Gorffennodd Non y ddiod a rhoi'r gwydr i lawr ar ben yr uned.

'Diolch.'

Tynnodd y darten allan o'r fasged a'i rhoi ar bwys y gwydr.

'Mae'n rhaid i fi fynd.' Trodd Non i adael cyn i Alice James gael cyfle i ddweud dim byd arall.

'Cofia ddiolch i dy fam am y darten,' galwodd y wraig arni o ddrws y cefn. 'A chofia alw eto.'

Cerddodd Non yn ei blaen, heb droi'n ôl a heb addo dim.

Roedd Non bron hanner ffordd i fyny'r lôn pan gofiodd nad oedd hi wedi rhoi neges ei thad-cu i Alice James. Arhosodd a chicio carreg neu ddwy wrth ystyried yr hyn a ddylai ei wneud. Nid oedd am fynd yn ôl ond . . . Ciciodd garreg arall cyn troi a cherdded yn bwrpasol i gyfeiriad y tŷ.

Roedd drws y cefn yn dal ar agor ac roedd ar fin curo arno pan glywodd sŵn lleisiau'n dod o'r tu mewn. Am eiliad meddyliodd mai lleisiau ar y radio neu'r teledu roedd hi'n eu clywed, ond yna sylweddolodd mai llais Alice James oedd un ohonynt. Efallai ei bod hi ar y ffôn, meddyliodd, ond os felly, sut oedd hi'n clywed y llais arall?

Roedd y llais hwnnw'n ddyfnach, yn fwy gyddfol a chrafog, ac nid oedd Non yn hoffi ei sŵn o gwbl. Clustfeiniodd ond ni allai ddeall dim o'r hyn a ddywedai; roedd fel petai'n siarad rhyw iaith estron. Yna dechreuodd Alice James ddweud rhywbeth, ond rhuodd y llais arall a thawelodd hi'n gwynfanllyd. Bytheiriodd y llais unwaith eto gan atseinio drwy'r tŷ.

Camodd Non yn ôl o'r drws yn dawel. Symudodd cwmwl rhyngddi a'r haul, gan lapio'i gysgod o'i chwmpas. Ac am y tro cyntaf y diwrnod hwnnw teimlodd Non yn oer.

'Oer,' meddai tad-cu Non, gan daro'r arian ar y cownter. 'Y peint oera sy gyda ti, Sam.'

Gwenodd Sam Collins y tafarnwr, estyn am wydr a'i lenwi â chwrw. Cymerodd Edward Owen y gwydr ac yfed dracht ddofn o'r ddiod cyn sychu'r ewyn o'i wefusau â chefn ei law.

'O,' ochneidiodd, gan deimlo'r ddiod oer yn llosgi ei ysgyfaint, 'dyna welliant; ro'dd 'da fi syched allet ti'i dorri â hosan.'

Edrychodd o gwmpas y bar. Ar wahân i ddau ddyn nad oedd yn eu hadnabod yn chwarae dartiau yn y cornel pellaf, roedd yr ystafell yn wag.

'Odi Alice James wedi bod mewn?' gofynnodd i Sam.

'Pwy?'

'Alice James, y fenyw brynodd Tyddyn Gwyn.'

'O, ie. Na, dwi ddim wedi'i gweld hi heno.'

Aeth Edward Owen i eistedd wrth y bwrdd ger y ffenest ac yfed ychydig o'i ddiod. Ymwelwyr, meddyliodd, wrth edrych ar y ddau oedd yn chwarae dartiau. Fe allai ymwelwyr fod yn gwmni da; byddai'n sôn ychydig wrthyn nhw am hanes yr ardal ac yn cael peint neu ddau am wneud, ac yna fe allai'r noson fod yn un hwyliog iawn. Ond doedd y ddau ddartiwr ddim yn edrych fel petaen nhw'n barod am sgwrs.

Roedd Edward Owen wastad wedi hoffi cwmnïaeth a thipyn o dynnu coes, ond dros y blynyddoedd diwethaf roedd y cyfleoedd wedi mynd yn llai wrth i'w ffrindiau brinhau o un i un. Roedd rhai wedi marw ac eraill wedi symud i ffwrdd i fyw gan ei adael ef ar ei ben ei hun yng nghanol pobl ddieithr wrth i dai y pentref gael eu prynu gan bobl o'r tu allan.

Y person hynaf ym Mlaencelyn, meddyliodd, dyna ydw i erbyn hyn. Wedi byw yma drwy fy oes, yn gwybod popeth sydd wedi digwydd yma ers hanner canrif a mwy, yn gyfarwydd â phob modfedd o'r lle, ond yn adnabod fawr neb.

Dyna pam roedd ef wedi hoffi cwmni Alice James. Roedd hi wedi bod yn barod iawn am sgwrs, ac er mai newydd gwrdd â hi oedd e, teimlai ei bod hi fel chwa o awyr iach. Roedd hi am wybod popeth am hanes yr ardal, y chwedlau a'r straeon gwerin oedd yn gysylltiedig â'r lle. Popeth. Cwmni da, meddai wrtho'i hun, gan obeithio y byddai hi'n galw heibio'r noson honno eto.

Fel ateb i'w ddymuniad, agorodd drws y dafarn a cherddodd Alice James i mewn. Chwifiodd Edward Owen ei law arni a chododd hithau ei llaw yn ôl.

'Bydda i yna nawr,' meddai, gan fynd at y bar.

Goleuodd wyneb Edward Owen, a dwy funud yn ddiweddarach, pan ddaeth Alice James ato yn cario gwydr ym mhob llaw, teimlai ar ben ei ddigon.

'Helô,' meddai, gan hanner codi ac aros nes iddi eistedd wrth y bwrdd.

'Helô, Mr Owcn.'

'Edward. Galwch fi'n Edward.'

'A galwa fi'n Alice.'

Chwyddodd brest Edward Owen gyda balchder.

'Mae hwn i ti,' meddai Alice James, gan wthio'r gwydr peint ar draws y bwrdd.

'O, do'dd dim eisie i chi,' meddai Edward Owen, gan wagio cynnwys y gwydr cyntaf mewn un llowc ac estyn am y gwydr newydd.

Cododd Alice James ei llaw i chwifio'i ddiolchiadau o'r neilltu. 'Paid â sôn.'

'Wel diolch i chi'r un peth. Mae'n ddigon poeth i ga'l bath yn y stwff,' ond yna sylweddolodd efallai ei fod wedi siarad ychydig yn rhy bersonol, a chochodd.

'Rwyt ti'n iawn,' meddai Alice James, heb ymddangos ei bod wedi sylwi ar ei hyfdra.

'Dwi ddim wedi gweld haf tebyg i hwn ers blynydde,' meddai Edward Owen, gan ddechrau yfed o'r ail wydr. 'Ddim ers deugain mlynedd, dwi'n siŵr. Y tro dwetha fe sychodd yr afon ac ro'dd y caeau'n grimp. Ro'dd ochr y mynydd yn goch am nad o'dd wedi ca'l glaw ers . . . '

'Carn Emrys, rwyt ti'n feddwl?' meddai Alice James ar ei draws.

'Ie, 'na chi, Carn Emrys. Ro'dd hi'n drist ei weld yn . . . '

'Wyt ti'n gwybod beth yw tarddiad yr enw?' gofynnodd hi ar ei draws unwaith eto.

'Tarddiad?' Meddyliodd Edward Owen am yr afon yn sychu yng ngwres yr haul.

'Ie. Beth yw ystyr yr enw Carn Emrys?'

'O, ie . . . ie, Carn Emrys, ie wel, ma'n siŵr bod carn yn golygu troed anifail, ac Emrys fel mewn . . . wel, mewn Emrys,' a chymerodd ddracht arall i iro'i ymennydd.

'Ac wyt ti'n gwybod pwy oedd Emrys?'

'Emrys?'

'Ie, ar ôl pwy cafodd y mynydd ei enwi?'

'O, ie, Emrys. Wel . . . ' ac fe grafodd Edward Owen ei ben yn y gobaith y byddai hynny'n tynnu rhyw ddarn o wybodaeth i'r wyneb o waelodion ei gof. Ond yr unig Emrys roedd e'n ei adnabod oedd bachgen oedd wedi bod yn yr ysgol gydag ef, a go brin mai ef oedd wedi rhoi ei enw i'r mynydd.

'Wel, na, dwi ddim yn credu 'mod i'n gwbod.'

'Paid poeni,' meddai Alice James, gan wenu arno. 'Mae nifer o enwau diddorol a chysylltiadau chwedlonol yn yr ardal yma, on'd oes? Bobman rwyt ti'n troi mae blas a naws y cynfyd i'w deimlo'n gryf yma. Ysbrydion y gorffennol o gwmpas ble bynnag yr ei di. Gall rhywun eu synhwyro nhw, a bron â chyffwrdd â nhw. Maen nhw'n dy dynnu di atyn nhw, am rannu eu gwybodaeth a'u profiadau, ac am ddweud eu cyfrinachau i gyd wrthyt ti. Am drosglwyddo i'n ccnhedlaeth ddigyfeiriad, sâl ni y cyfan mae'r ddaear wedi ei ddysgu iddyn nhw, y cyfan mae hi wedi ei weld a'i deimlo dros y canrifoedd cudd, yr hyn sy wedi ei gladdu yn ddwfn yn y ddaear ddu.'

Edrychodd Edward Owen yn fud ar Alice James. Doedd ganddo mo'r syniad lleiaf am beth roedd hi'n siarad, a llai byth beth y dylai ef ei ddweud, felly cymerodd ddracht arall o'i gwrw.

'Wyt ti'n byw'n agos i'r ddaear, Edward?'

'Wel, dwi yn neud tipyn o arddio. Ma' 'leni wedi bod yn flwyddyn dda iawn am sialóts, ond un sobor o sâl am gidni bêns . . . '

Ond roedd Alice James i ffwrdd unwaith eto ar ryw drywydd arall. Pam ar y ddaear na fyddai'r fenyw'n cadw at un pwnc yn lle hedfan o un peth i'r llall fel cleren dinlas?

'Roeddwn i'n gweld ar y map fod sawl enw cysylltiedig â cheffylau i'w cael yn yr ardal.'

'O?' a cheisiodd Edward Owen gofio popeth a wyddai am geffylau.

'Dôl Ebolion,' meddai Alice James.

'O, ie, ffarm draw ar bwys . . . '

'Parc Penstalwyn.'

'Ie, tyddyn bach ar ochre . . . '

'Llwybr Rhiannon.'

'Y lôn sy'n arwain . . . ' Stopiodd Edward Owen. 'Be sy gyda honno i' neud â cheffyle?'

'Rhiannon, Rigantona, brenhines-dduwies y Celtiaid, ac fe uniaethir hi ag Epona, duwies y ceffylau,' meddai Alice James a rhyw oleuni rhyfedd yn llenwi ei llygaid.

'O, ie,' meddai Edward Owen, ond gan nad oedd wedi deall fawr ddim o'r hyn roedd hi wedi ei ddweud unwaith eto, fe gydiodd yn yr unig air yr oedd wedi ei ddeall. 'Ma' 'da fi wyres o'r enw Rhiannon.'

Ac am y tro cyntaf y noson honno fe dalodd Alice James sylw i rywbeth roedd Edward Owen wedi ei ddweud. 'Oes e?'

'O's, merch Elin. Non ma' pawb yn ei galw hi, ond Rhiannon yw ei henw iawn.'

'Non! Wrth gwrs! Sut allen i fod mor ddall! Fe ddaeth hi â tharten i fi gynnau.'

'Do, dyna hi.'

'Wel, Edward, dwi am glywed popeth amdani.'

Siglodd Edward Owen ei wydr gwag yn ddisgwylgar ar y bwrdd.

PENNOD 7

'Mae Dad yn mynd i ffonio heno, on'd yw e?'
meddai Non.

'Falle, dyna ddwedodd e. Do'dd e ddim yn
siŵr a o'dd e'n gorfod gwneud shifft ddwbl. Os
na fydd e, fe fydd yn siŵr o ffonio.'

'O,' meddai Non yn dawel gan edrych ar y cloc.
Roedd hi'n ddeng munud i ddeg. 'Mae e'n ffonio
cyn hyn fel arfer.'

'Ydi,' meddai ei mam heb edrych i fyny o'r
crys roedd hi'n ei smwddio.

'Mae hynny'n golygu nad yw e am ffonio,
on'd yw e?'

Ochneidiodd ei mam. 'Fwy na thebyg, ond ...'

'Dwi'n mynd i'r gwely,' meddai Non, a heb roi
cyfle i'w mam ddweud dim, caeodd y drws yn
dynn ar ei hôl.

Llusgodd Non ei thraed yn ddifywyd i fyny'r
grisiau ac i'w hystafell wely. Doedd dim awel yn
unman yn y tŷ ac roedd ei hystafell fel ffwrnais.
Taflodd ei hun ar y gwely, ond er gwaetha'i
blinder gwyddai na fyddai'n gallu cysgu am oriau.

Cododd o'r gwely a cherdded at y ffenest. Syllodd allan ar draws y caeau a orweddai'n dawel a thywyll yn erbyn yr awyr olau uwchben y bryniau a'r mynyddoedd a amgylchynai Flaencelyn. Allan yno y carai hi fod, yn carlamu drwy'r caeau ar gefn Beca, gan greu ei hawel ei hun. Ond roedd Mrs Bruce fwy neu lai wedi dweud wrthi i gadw draw o'r ganolfan ferlota. I gadw draw o'i merlen. I . . .

Agorodd Non y ffenest led y pen a'i thynnu ei hun i fyny i ben y sil. Camodd allan a'i gollwng ei hun i lawr i ben to gwastad y cyntedd cefn a'r tŷ glo.

Hanner munud yn ddiweddarach roedd hi'n rhedeg drwy'r caeau cynnes, dros gloddiau a'r siffrwd sydyn yn y gwair a'r drysni yn eu bôn, heibio i'r tai a'u goleuadau llachar, a sŵn canu a chwerthin y teledu yn dianc drwy'r ffenestri agored, nes cyrraedd y ganolfan ferlota ym mhen arall y pentref.

Pwysodd ar y glwyd ac edrych ar y dwsin o geffylau a merlod a safai mor llonydd â cherfluniau. Dringodd i asen ganol y glwyd a chwibanu'n dawel rhwng ei bysedd, fel roedd ei thad wedi ei dysgu.

Symudodd un o'r cerfluniau; trodd ei ben a chododd ei glustiau.

'Dere 'ma!' galwodd Non, gan geisio cadw'i llais yn isel. 'Dere 'ma, del!'

Chwibanodd eto a dechreuodd Beca garlamu tuag ati a'i chot wen yn disgleirio fel arian byw yng ngolau'r lleuad. Wrth iddi agosáu at y glwyd arafodd y ferlen a gweryru'n swnllyd gan godi, gostwng a siglo'i phen prydferth mewn cyfarchiad. Yna ysgydwodd ei mwng hir yn wyneb Non.

'Hei! Gan bwyll!'

Ond gwthiodd Beca ei thrwyn yn galed yn erbyn ysgwydd Non nes iddi bron â disgyn oddi ar y glwyd. Cydiodd Non yn dynn ym mhen y ferlen i'w chadw ei hun rhag syrthio, a gwthiodd ei phen i mewn i'r mwng a mwytho'i chlustiau.

'Beth y'n ni'n mynd i neud, e?'

Pwysodd dros Beca a thynnu ei llaw ar draws ei gwar yn gariadus.

'Beth y'n ni'n mynd i neud?'

Yr eiliad nesaf roedd Non yn dringo dros y glwyd ac yn eistedd ar gefn y ferlen. Cydiodd yn y mwng a'i dynnu. Trodd Beca a gwasgodd Non ei sodlau i mewn i'w hochr.

'Tyc! Tyc!' Cliciodd Non ei thafod. 'Dere. Beth am i ni fynd am dro.'

Ufuddhaodd Beca gan ddechrau trotian ar draws y cae.

⌖

Cerddai Alice James braidd yn sigledig wrth iddi wneud ei ffordd adref o'r Llew Du. Roedd y ddiod wedi llifo a'r oriau wedi hedfan yn llawer rhy rwydd, ac wrth iddi gamu allan drwy ddrws y dafarn roedd yr awyr iach wedi ei tharo ar ganol ei thalcen fel sach o dywod.

Cynigiodd Edward Owen ei hebrwng, ond roedd hi wedi cael digon ar ei gwmni; roedd hi am fod ar ei phen ei hun i fwynhau'r wlad a'r nos. Ffarweliodd ag ef ar sgwâr y pentref a throi ar hyd y ffordd i Dyddyn Gwyn.

Anadlodd yn ddwfn er mwyn ceisio clirio'i phen, ond yn lle hynny tyfodd y cur a theimlodd yn fwy penwan. Cerddodd yn araf a simsan at glwyd cae cyfagos a phwyso drosti, ei phen i lawr a'i llygaid ynghau, gan ddisgwyl i'r niwl a'r poen glirio.

Dim mwy o hynna, meddai wrthi'i hun. Cartref newydd a bywyd newydd; dyna roedd hi wedi ei fwriadu, a dyna oedd hi i fod. Roedd hi wedi cael y cyfle a'r fraint i ddysgu llawer, y cyfle i dyfu ac ehangu ei gorwelion, a byddai cymylu ei meddwl ag alcohol nawr, a hithau mor agos, yn ffolineb llwyr. Felly dim mwy.

Cododd ei phen yn araf ac agor ei llygaid. Dyna welliant; roedd popeth yn glir unwaith eto. Edrychodd o'i chwmpas a chrwydrodd ei llygaid yn reddfol at Garn Emrys. Gwenodd wrth feddwl am Edward Owen yn ceisio esbonio'r enw. Doedd e ddim hyd yn oed yn gwybod pwy oedd Emrys! Roedd y dyn wedi brolio mai ef oedd person hynaf Blaencelyn, ond doedd e ddim hyd yn oed yn gwybod hynny! Sut allai rhywun fod mor anwybodus o'i gynefin, o'r nerth oedd o'i amgylch, o'r pŵer oedd o fewn ei gyrraedd?

A'r fath bŵer oedd yno!

Ond efallai na ddylai fod mor feirniadol; doedd pawb ddim mor freintiedig â hi. Doedd y pŵer hwn ddim ar gyfer pawb, dim ond y rhai hynny oedd yn barod i ildio iddo. Rhai fel hi. Roedd *hi'n* barod. Roedd *hi'n* ymwybodol o'r nerth. Roedd hi wedi ei deimlo y tro cyntaf y daeth hi i Flaencelyn; wedi ei deimlo'n llifo drosti, wedi ei flasu yn yr aer o'i chwmpas gan awchu am fod yn rhan ohoni. Na, doedd pawb ddim mor agored â hi. Dyna pam nad oedden nhw'n ei geisio, nac yn fodlon ildio popeth er mwyn ei feddiannu.

Roedd Alice James wedi colli cyfrif o'r oriau a dreuliodd yn astudio mapiau'r ardal, a'r holl gysylltiadau roedd hi wedi eu gwneud drwy ddilyn y mannau uchel cyfrin a groesai'r wlad mewn rhwydwaith dirgel: o Ben Castell i Luest Feudwy i Ros Garthen Goch i Eisteddfa Eithinog; o Garreg Hirfaen i Graig yr Ychen i Bistyll Bychain i Warffynnon Uchaf i Fryn Garw i Fwlch y Ddwyfran; o Gaer Pen-yr-hyrddod i

Ystrad Hendre i Faen Arthur i Garreg Wen . . .
ac ymlaen ac ymlaen nes bod y map yn we o
linellau grym.

Ac yn eu canol, fel calon olwyn lle'r oedd pob
asen o bob cyfeiriad yn cyfarfod, roedd Carn
Emrys. Yno roedd y pŵer yn cronni, neu'n
tarddu. Doedd dim gwahaniaeth pa un mewn
gwirionedd, y dechrau neu'r diwedd; doedd dim
dechrau a doedd dim diwedd. Llifai'r cyfan
drwy ei gilydd gan ganoli o gwmpas Carn
Emrys. Dyna lle'r oedd hi am ganolbwyntio
hefyd.

Ac roedd y cyfan o fewn cyrraedd!

Trodd gylch yn ei hunfan, a'i breichiau'n
ymestyn allan i'r tywyllwch yn barod i gofleidio
beth bynnag oedd yno. Trodd fel chwyrligwgan
a disgynnodd y niwl a'r poen ar ei phen
unwaith eto.

'Ooooo,' griddfanodd, gan arafu a phwyso ar y
glwyd i aros i bopeth lonyddu a dychwelyd i'w
le unwaith eto.

Ond ni ddaeth llonyddwch. Yn lle hynny
teimlodd y ddaear yn crynu dan ei thraed.
Cododd ei phen yn araf a gweld cysgod yn
symud ar draws y cae o'i blaen. Cliriodd y niwl
a diflannodd y poen pan sylweddolodd mai
ceffyl yn carlamu oedd yno.

Syllodd drwy'r tywyllwch.

Dim ond gynnau roedd hi wedi bod yn siarad

am gysylltiadau'r ardal â cheffylau, ac yn awr dyma un yn ymddangos o'i blaen.

O'i blaen hi! Doedd neb arall yno i weld hyn; dim ond *hi*!

Arwydd oedd hyn! Mae'n rhaid!

Beth arall allai fod? Roedd hyn yn cadarnhau ei bod hi i fod yno.

Ac eiliad yn ddiweddarach, pan welodd Alice James yng ngolau'r lleuad mai Non oedd yn marchogaeth y ceffyl, ni allai ei hatal ei hun rhag dweud gyda pharchedig ofn a chyffro amlwg, *'Rigantona! Epona!'*

PENNOD 8

'Dwi ddim yn gwybod pryd bydda i adre heno, Graham. Iawn?'

'Iawn.'

'A bydd dad yn hwyr fel arfer. Iawn?'

'Iawn.'

'Mae digon o'r bwyd ddes i adre neithiwr ar ôl i ti a Mam-gu i ginio.'

'Iawn.'

'Hwyl, 'te. Wela i di heno rywbryd. Iawn?'

'Iawn.'

'Hwyl!'

'Hwyl.'

Edrychodd Graham ar gar ei fam yn gyrru i fyny'r lôn o'r tŷ cyn troi i'r chwith ar ôl cyrraedd y ffordd fawr a mynd am y dref. Yfodd y diferion olaf o'r can Coke a'i roi i lawr ar y bwrdd bychan yn y cyntedd.

Ymddangosodd mam Non o'r gegin lle'r oedd hi wedi bod yn glanhau, a chododd y can o'r bwrdd cyn iddo adael ei ôl ar y pren.

'Dwi'n mynd mas,' meddai Graham.

'I gwrdd â Non?'

'Ie,' atebodd Graham mewn llais blinedig.

'Dwedodd hi y bydde hi'n aros amdanat ti wrth y gofgolofn.'

'Iawn.' Dechreuodd Graham gerdded i fyny'r lôn.

Cerddodd heibio i'r rhesi blodau yn y border a edrychai'n sychedig er bod ei dad wedi eu dyfrhau'n drylwyr y noson cynt. Dim ond hanner awr wedi naw y bore oedd hi, ond roedd hi mor boeth â chanol dydd. Nid oedd Graham wedi cysgu fawr ddim drwy'r nos. Roedd wedi troi a throsi am oriau yn y gwres yn trio'i wneud ei hun yn gyfforddus, ond allai ddim. Cododd ddwywaith i gael rhywbeth i'w yfed, ac ar ôl methu mynd i gysgu eto, aeth i chwarae ar y cyfrifiadur. Ond roedd yn rhy flinedig i ganolbwyntio, ac ar ôl ychydig roedd hyd yn oed y gêm wedi colli ei hapêl. Dychwelodd i'r gwely a lluniau'r gêm yn hedfan y tu mewn i'w lygaid gan ei gadw ar ddihun am amser.

Mae'n rhaid ei fod wedi cysgu rywbryd gan mai'r peth nesaf a wyddai oedd ei fod ar ddihun unwaith eto a'i fam yn galw arno i godi. Dylyfodd ên. Teimlai'n hollol ddifywyd.

Pam, o pam roedd e wedi cytuno i fynd gyda Non a Cai i siarad â rhyw ddyn am ryw blasty doedd neb wedi byw ynddo ers canrifoedd ac nad oedd ganddo ef ddim diddordeb ynddo?

Gwyddai pam, wrth gwrs; pe na bai wedi cytuno fe fyddai Non wedi cario ymlaen ac ymlaen ac ymlaen am y peth nes y byddai *wedi* cytuno. Pam roedd merched mor benderfynol? Roedd ei fam-gu yr un peth, yn mynd ymlaen ac ymlaen o hyd am y peth lleiaf. Doedd ei fam ddim cynddrwg, ond wedyn doedd e ddim yn gweld cymaint ohoni hi.

Dylyfodd ên eto wrth feddwl am wneud y cywaith hanes. Hanes oedd ei gas bwnc; astudio pethau oedd wedi digwydd flynyddoedd ynghynt. Pam? Beth ocdd mor ddiddorol amdanyn nhw? Roedden nhw wedi bod ac wedi mynd, a gwynt teg ar eu hôl nhw!

Roedd ei fam-gu byth a beunydd yn sôn am bethau roedd hi'n arfer eu gwneud pan oedd hi'n ferch fach. Wedi meddwl, doedd hi'n dweud y nesaf peth i ddim am ddim byd arall erbyn hyn, yn union fel petai'r amser pan oedd hi'n ifanc yn llawer pwysicach iddi na'r presennol.

Wel, edrych ymlaen roedd Graham am ei wneud, nid edrych yn ôl. Ni allai aros nes y byddai'n ddigon hen i adael Blaencelyn. Y cyfle cyntaf a gâi fe fyddai allan o'r pentref, byth i ddychwelyd.

Agosaodd at sgwâr y pentref a'r gofgolofn i filwyr y ddau ryfel byd lle'r oedd y tri wedi trefnu cyfarfod. Roedd Non yno'n barod, yn llawn brwdfrydedd a'i llyfr nodiadau yn ei llaw. Doedd dim golwg o Cai; efallai ei fod e wedi penderfynu cadw draw. Pam na allai ef fod wedi gwneud hynny? gofynnodd Graham iddo'i hun. Tybed a allai sleifio i ffwrdd cyn . . .

'Graham!'

Rhy hwyr!

Llusgodd Graham ei draed ymlaen at y gofgolofn.

'Beth ddigwyddodd i ti?' gofynnodd Non iddo. 'Ti'n edrych fel drychiolaeth.'

'Methu cysgu,' meddai, gan ddylyfu gên eto. 'Beth yw dy esgus di?'

'Wyt ti wedi gweld Cai?' gofynnodd Non, gan anwybyddu'r sarhad.

Siglodd Graham ei ben nes iddo orffen dylyfu gên eto fyth, ac yna gofynnodd, 'A ble wyt ti'n meddwl dwi'n mynd i'w weld e amser hyn o'r bore?'

'Mae Cai'n codi'n fore bob dydd.'

'Ro'n i wastad wedi meddwl bod rhywbeth bach yn bod arno fe.'

'Wyt ti wedi dod â'r camera gyda ti?'

'Wrth gwrs 'mod i,' atebodd Graham yn bigog, gan daro poced ei drowsus. Doedd dim rhaid i Non wybod mai ar y funud olaf roedd e wedi cofio amdano.

'Ac mae gyda ti ddigon o ffilm?'

'Non, camera digidol yw e,' meddai Graham

yn fwy pigog byth. 'Do's dim eisie ffilm ar gamera digidol.'

'Iawn, iawn, dim ond gofyn!'

'Ie, wel . . . ' ac edrychodd Graham ar ei oriawr yn ddiamynedd. 'Os na fydd Cai yma mewn dwy funud dwi'n . . . '

Ond cyn iddo orffen ei fygythiad clywodd y ddau sŵn ratlan rhydlyd beic yn agosáu ar hyd y ffordd. Pan oedd y beic o fewn metr i'r ddau, tynnodd Cai'r breciau a gadael i'r olwyn ôl sgrialu mewn hanner cylch at eu traed.

'Hei!' gwaeddodd Non, gan neidio i fyny i ris isaf y gofgolofn.

Arhosodd Graham lle'r oedd, yn rhy flinedig i symud nac i boeni.

'Chi'n barod?' gofynnodd Non, gan geisio ailafael yn yr awenau.

'Mae Seimon yn mynd i ddod i gwrdd â ni fan hyn,' meddai Cai. 'Mae e am brynu rhai pethau o'r siop.'

'Mae e'n barod i'n helpu ni?' meddai Non.

'Ydi,' atebodd Cai, gan bwyso dros gyrn y beic a'i wthio'n ôl ac ymlaen yn araf.

'O, grêt,' meddai Graham, gan eistedd ar un o risiau'r gofgolofn, ond yna cododd ar ei draed bron ar unwaith a dweud, 'Dwi'n mynd i brynu diod.'

Edrychodd y ddau arno'n croesi'r ffordd i siop y pentref. Agorodd Graham y drws, ond cyn iddo gael cyfle i fynd i mewn, bu'n rhaid iddo gymryd cam yn ôl er mwyn gadael i rywun ddod allan.

Adnabu Non y dillad llaes tywyll cyn iddi weld Alice James a suddodd ei chalon. Ar ôl neithiwr, nid oedd yn awyddus i weld perchennog newydd Tyddyn Gwyn.

Arhosodd Alice James ac edrych i fyny ac i lawr
y ffordd, yn amlwg yn mwynhau gwres yr haul
ar ei hwyneb. Caeodd ei llygaid ac anadlu'n
ddwfn. Yna fe'i stwriodd ei hun, a gyda'i bagiau
siopa bron â thynnu'i breichiau at y llawr,
dechreuodd groesi'r heol. Roedd hi hanner
ffordd ar draws pan sylwodd ar Non yn sefyll ar
bwys y gofgolofn. Trodd a cherdded tuag ati.
Ystyriodd Non guddio y tu ôl i'r gofgolofn, ond
penderfynodd y byddai hynny'n beth plen-
tynnaidd iawn i'w wneud.

'Bore da, Rhiannon!' cyfarchodd Alice James
hi'n frwdfrydig.

'Bore da,' meddai Non yn llawer llai
brwdfrydig.

Roedd hi wedi ei galw'n Rhiannon ac roedd
yn gas ganddi'r enw. Swniai fel petai hi'n ddau
berson, Rhi *a* Non. A beth bynnag, sut gwyddai'r
fenyw hon mai Rhiannon oedd ei henw? Doedd
neb wedi ei galw'n Rhiannon ers blynyddoedd.
Neithiwr roedd hi'n meddwl mai Nia oedd ei

henw, oedd bron yn waeth na Rhiannon. *Ni a nhw!* Mwy na dau berson hyd yn oed. Be sy'n bod ar y fenyw? gofynnodd Non iddi ei hun. Mae'n edrych arna i fel cath yn syllu ar lygoden.

Rhaid bod Alice James wedi synhwyro anesmwythyd Non gan iddi droi i ffwrdd yn sydyn, edrych ar Cai a gofyn, 'Pwy yw dy ffrind, Rhiannon?'

'Cai.'

'Helô, Cai.'

'Helô,' meddai yntau, gan siglo'i feic yn ôl ac ymlaen.

Syllodd Alice James arno'n ddyfal. 'Un o blant Jill Adams wyt ti, ie?'

'Ie.'

Gwenodd Alice James a nodio, yn amlwg yn falch ohoni'i hun am iddi ei adnabod.

'Cai. Mae hwnna'n enw diddorol. Cai fab Cynyr, un o farchogion y Brenin Arthur. Oeddet ti'n gwybod hynny?'

'Oeddwn.'

'Un o farchogion *pwysicaf* y Brenin Arthur. Roedd ganddo bob math o bwerau goruwch-naturiol. Roedd e'n gallu ei wneud ei hun mor dal â choeden, gwneud beth bynnag roedd e'n ei gario yn anweledig, mynd heb gwsg am ddeg diwrnod a deg nos, a . . . '

'Naw.'

'Beth?' gofynnodd Alice James, wedi ei thaflu oddi ar ei hechel.

'Naw diwrnod a naw nos,' meddai Cai heb godi ei lygaid oddi ar olwynion ei feic wrth iddo'i wthio yn ôl ac ymlaen.

'Naw, ti'n dweud?' a syllodd Alice James arno'n dawel am ychydig. 'Ie, mae'n bosib dy fod ti'n iawn. Wel, dwi'n deall eich bod chi'n gwneud project ar hanes Plas Alltlwyd.'

Saethodd pen Cai i fyny a syllodd ar y wraig. Gwenodd Alice James arno a golwg holl-wybodus ar ei hwyneb.

'Shwd y'ch chi'n gwybod hynny?'

'O, dwi'n meddwl mai tad-cu Rhiannon ddywedodd wrtha i. Mae gen i nifer o lyfrau ar hanes yr ardal – rhai yn brin iawn – ac mae croeso i chi alw heibio i Dyddyn Gwyn unrhyw bryd i . . . '

'Na,' meddai Cai ar ei thraws. 'Diolch, ond mae gyda ni rywun yn ein helpu ni'n barod.'

'O?' Gwenodd yn hollwybodus unwaith eto. 'Dwi ddim yn meddwl y gall neb roi mwy o help i chi na fi. Yn ogystal â'r ffeithiau, fe alla i osod hanes Plas Alltlwyd yng nghefndir ehangach yr ardal, a dwi ddim yn sôn am ryw ofergoelion a straeon cefn gwlad sydd heb seiliau hanesyddol cywir . . . '

Peidiodd y parablu yn sydyn a newidiodd yr olwg ar wyneb Alice James. Diflannodd y wên yn llwyr ac yn ei lle daeth yr olwg fwyaf poenus ac arswydus roedd Non a Cai wedi ei gweld erioed. Roedd ei bochau wedi suddo i mewn i'w cheg ac ysgyrnygai ei dannedd fel anifail wedi ei ddal mewn magl. Nid oedd yn talu'r sylw lleiaf i Non a Cai; edrychai heibio iddyn nhw i fyny'r ffordd, y gwaed wedi llifo o'i hwyneb a'i llygaid yn llawn dychryn.

Trodd Non i weld beth oedd wedi achosi'r fath newid ynddi, ond ar wahân i Seimon Morris a Gel yn cerdded tuag atynt, roedd y ffordd yn wag.

Roedd Cai hefyd wedi troi i weld beth oedd wedi dychryn Alice James, a phan welodd pwy oedd yno fe alwodd arno, 'Hei! Seimon!'

Adnabu Gel ei lais. Cododd ei chlustiau, a chan daflu un edrychiad ymddiheurol ar ei meistr, dechreuodd redeg ar draws y ffordd.

'Na!' gwaeddodd Alice James wrth i Gel ruthro tuag atynt. Gollyngodd y bagiau siopa a chodi ei breichiau dros ei hwyneb. 'Na!' sgrechiodd eto, gan droi yn ei hunfan. 'Peidiwch!'

Cael mwythau gan Cai oedd nod Gel, ond pan ddechreuodd Alice James hercian fel pyped ar linyn a gwneud y fath synau uchel, ni allai ei hanwybyddu. Neidiodd i fyny ati gan wneud ei gorau i lyfu ei hwyneb. Gwylltiodd hynny Alice James yn waeth a dechreuodd chwifio'i breichiau'n wyllt.

Roedd Gel wrth ei bodd. Neidiodd a chyfarthodd orau y gallai, a mwya'n y byd y gwnâi hynny, mwya'n y byd y sgrechiai Alice James a chwifio'i breichiau, gan beri i'r ast neidio a chyfarth yn uwch fyth.

'Gel! Lawr! Lawr!' galwodd Seimon Morris gan ruthro ar draws y ffordd.

Disgynnodd Gel ar ei phedwar. Roedd y demtasiwn i barhau â'r hwyl yn fawr ond gwyddai fod yn rhaid iddi ufuddhau i'w meistr.

'Mae'n ddrwg gen i,' ymddiheurodd Seimon Morris, gan wthio Gel y tu ôl iddo a dechrau hel ynghyd y negeseuon oedd wedi disgyn ar hyd y llawr.

Plygodd Non i'w helpu, a phan oedd y cyfan wedi eu casglu fe ddaliodd Seimon Morris y bagiau allan i Alice James. Ond roedd hi'n gyndyn iawn i'w cymryd. Treuliodd gryn amser yn twtio'i dillad a'i gwallt tra daliai Seimon Morris y bagiau o'i blaen. O'r diwedd, pan nad oedd dim byd arall y gallai ei wneud i'w gwisg na'i gwallt, anadlodd Alice James yn ddwfn ac estyn ei breichiau allan yn fwriadol am ei bagiau, yn union fel petai'n ei gorfodi ei hun i wneud hynny yn groes i'w hewyllys.

'Mae'n ddrwg gen i, dyw Gel ddim fel arfer mor fywiog â hyn; mae'n rhaid ei bod hi wedi cymryd atoch chi'n fawr,' meddai Seimon Morris, gan geisio ysgafnhau ychydig ar y sefyllfa.

Ond nid oedd gan Alice James y diddordeb lleiaf mewn mân siarad nac ymddiheuriadau. Roedd ei hwyneb yn dal yn welw a gallai Non weld mai trwy ymdrech yn unig y llwyddai i gadw'r poen dan reolaeth. Heb ddweud gair, cerddodd yn araf i gyfeiriad Tyddyn Gwyn.

❧

Caeodd Alice James ddrws y tŷ a phwyso yn ei erbyn. Llowciodd yr aer i'w hysgyfaint. Teimlai'n wan iawn. Crynai ei choesau a'i breichiau. Pwysai'r bagiau fel tunnell yn ei dwylo ond doedd ganddi mo'r nerth hyd yn oed i agor ei bysedd i'w gadael i ddisgyn i'r llawr. Braidd fod ganddi ddigon o nerth i sefyll ar ei thraed.

Doedd ganddi ddim syniad sut roedd hi wedi cerdded yn ôl i'r tŷ. Roedd wedi cael nerth o rywle, ond roedd hwnnw'n diflannu'n gyflym nawr, gan adael dim ond atgof cryf o'r poen dychrynllyd roedd hi wedi ei brofi. Doedd hi ddim wedi teimlo'r fath boen ers amser, ddim ers . . . ond doedd hi ddim am feddwl am hynny, a gorfododd ei hun i symud i ffwrdd o'r drws. Cam wrth gam llusgodd ei thraed ar draws y llawr. Roedd yn rhaid iddi wneud rhywbeth, unrhyw beth i'w chadw rhag meddwl am y tro diwethaf roedd hi wedi profi'r poen hwnnw. Roedd yn dal yn llawer rhy fyw. Y fath boen! A'r fath ofn! Yn cnoi ei stumog ac yn gwasgu ei gwddf nes bod anadlu'n anodd ac yn boenus. Pam? Pam nawr, ar ôl i brofiadau neithiwr fod mor gadarnhaol?

Llwyddodd i osod y bagiau ar y bwrdd rywsut cyn disgyn yn drwm ar un o'r cadeiriau a phwyso ar y bwrdd a'i phen ar ei breichiau. Doedd hi ddim wedi disgwyl hyn. Pam na chawsai ei rhybuddio? Os oedd e'n gwybod fe ddylai fod wedi dweud wrthi. Os oedd e'n gwybod bod y dyn yna yn y pentref fe ddylai . . . Ond a oedd e'n gwybod? Efallai nad oedd pethau mor syml ag yr oedd ef wedi meddwl.

Cododd Alice James ei phen. Beth oedd ei enw? Gel? Nage. Gel oedd enw'r ast. Doedd yr ast yn ddim; fe allai ddelio â chŵn heb ddim trafferth. Nage, ei pherchennog; hwnnw oedd yn gyfrifol am hyn. Ei bresenoldeb ef oedd wedi achosi'r poen. Ond pwy oedd e?

Beth oedd mab Jill Adams wedi ei alw? Roedd hwnnw wedi ei gyfarch. Roedd wedi galw arno, 'Hei . . . !'

Ond 'Hei . . . !' beth?

'Hei . . . Seimon!'

Cododd Alice James o'r gadair a cherdded yn araf i'r ystafell fyw. Ie, Seimon, dyna'r enw. Seimon. Ond pwy wyt ti, Seimon? A beth wyt ti'n ei wneud yma?

PENNOD 10

Cymerodd Graham gan arall o ddiod oer, ei agor ac yfed dracht hir. Pwysodd yn ôl ar y gwair yng nghysgod y garafán, yn ddigon hapus i adael i Non a Cai siarad â Seimon Morris am ei gynlluniau i ailadeiladu'r hen ysgoldy. Mwya'n y byd o amser y bydden nhw'n ei dreulio'n malu awyr am hynny, meddyliodd, lleia'n y byd o amser fyddai ganddyn nhw i'w dreulio ar y project.

'Ydych chi'n mynd i fyw yn yr ysgoldy ar ôl i chi orffen?' gofynnodd Non a eisteddai ar ris isaf stepiau'r garafán a phen Gel yn gorwedd yn ei chôl.

'Nagw,' meddai Seimon Morris, gan gynnig pecyn Jaffa Cakes iddi. 'Dwi'n mynd i aros yn y garafán; mae gen i gynlluniau eraill ar gyfer yr ysgoldy.'

Estynnodd Non am fisgïen, ond yn lle ei bwyta ei hun fe roddodd hi i Gel a'i llowciodd yn gyfan.

'Dwi'n credu ei bod hi wedi cael digon nawr,

Non,' meddai Seimon. 'Fe fwytith hi nhw drwy'r dydd dim ond iddi gael cyfle.'

'O, iawn,' meddai Non, gan gofio'r hyn roedd Mrs Bruce wedi ei ddweud wrth ei mam am Beca.

'Allet ti werthu'r lle ar ôl i ti'i orffen e,' awgrymodd Graham, gan lyfu'r siocled oedd wedi toddi ar ei fysedd. 'Mae Dad yn dweud bydd yr ysgoldy'n werth lot o arian unwaith y bydd e wedi cael ei atgyweirio.'

Gwenodd Seimon Morris. 'Dyna ddwedodd dy dad, ie?'

'Ie.' Gwthiodd Graham ei hun i fyny a phwyso ar ei benelin. 'Mae e'n difaru na phrynodd e'r lle a'i atgyweirio ei hunan nawr.'

'Pam na wnaeth e, 'te?' gofynnodd Cai. 'Mae'r ysgoldy wedi bod yn wag ers blynyddoedd.'

'Dwi'n gwybod,' meddai Graham. 'Dyna beth dyw Dad ei hunan ddim yn ei ddeall. Ro'dd e'n gwybod bod yr adeilad ar werth, ond rywsut do'dd e ddim fel petai e wedi sylweddoli hynny nes ei fod wedi'i werthu.'

'O?' meddai Non. 'Dyna ryfedd.'

Chwarddodd Seimon Morris ond credai Non efallai fod rhywbeth yn yr hyn roedd Graham wedi ei ddweud. Roedd yn swnio fel petai'r ysgoldy wedi cael ei gadw i Seimon. Ond doedd hynny ddim yn gwneud synnwyr, oni bai ei fod e'n . . .

'Non? Non!'

Trodd a gweld bod Seimon Morris yn galw arni. Collodd afael ar ei meddyliau ac edrychodd yn hurt arno.

'Mae llyfr ar hanes yr ardal yn nrâr gwaelod y cwpwrdd ar bwys y sinc. Ei di i'w nôl e i fi?'

'Iawn,' meddai Non gan godi a mynd i mewn i'r garafán.

Roedd y sinc ar yr ochr chwith, a phlygodd Non i agor y drâr gwaelod. Ynddo roedd pentwr o bapurau; rhai wedi eu teipio ac eraill wedi eu hysgrifennu â llaw. Cydiodd mewn dyrnaid o'r papurau a gweld bod y geiriau ER COF AM Y CWMWL TYSTION wedi eu hysgrifennu'n gain ar y ddalen uchaf.

Ailddarllenodd Non y geiriau'n dawel iddi ei hun, a'u teimlo'n rholio'n esmwyth ar ei thafod. Ailadroddodd nhw sawl gwaith cyn cofio mai chwilio am y llyfr i Seimon y dylai fod yn ei wneud, ac roedd ar fin rhoi'r ddalen yn ôl ar ben y pentwr pan sylwodd ar y ddalen nesaf. Arni, yn yr un llawysgrifen daclus, roedd enwau pawb oedd yn byw ym Mlaencelyn, a'r enw olaf ar y rhestr oedd un Alice James.

Cydiodd Non yn y ddalen ac edrych yn fud arni. Pam ar y ddaear fyddai angen rhestr o enwau trigolion Blaencelyn ar Seimon Morris?

'Non, wyt ti wedi dod o hyd i'r llyfr?' clywodd ei lais yn galw arni, a deffrodd o'i synfyfyrio.

'Em . . . ddim eto!' galwodd yn ôl, gan dynnu sawl pentwr arall o bapurau allan o'r drâr a'u rhoi ar y llawr yn ei hymyl cyn, o'r diwedd, gweld hen lyfr gwyrdd a'r geiriau *Hanes Blaencelyn a Herbertiaid Plas Alltlwyd* gan J. Llewelyn Thomas mewn print aur ar ei glawr.

'Ydw, dyma fe!' ac fe gydiodd yn yr holl bapurau a'u rhoi yn ôl yn y drâr mor daclus ag y gallai cyn codi ac ailymuno â'r lleill.

'Wyt ti'n gwybod rhywbeth am hanes yr ysgoldy, Non?' gofynnodd Seimon iddi pan estynnodd y llyfr iddo.

'Yr *ysgoldy*? Plas Alltlwyd ry'n ni'n ei astudio ar gyfer y project,' meddai, gan edrych ar Cai a Graham a cheisio deall beth oeddynt wedi bod yn ei drafod tra oedd hi yn y garafán.

'Ond mae cysylltiad rhwng y ddau le,' meddai Cai, a oedd wedi clywed rhywfaint o'r hanes o'r blaen.

'Ac mae tipyn ohono i'w gael yn hwn,' meddai Seimon, gan ddal y llyfr gwyrdd i fyny. 'Llyfr prin iawn; dim ond rhyw ddwsin o gopïau gafodd eu hargraffu.'

'Ond mae hanes mor ddiflas,' protestiodd Graham. 'Ac os yw e i gyd yn y llyfr yna, pam mae Mussolini am i ni fynd i'r drafferth i sgrifennu fe i gyd eto?'

'Falle am ei fod e am i chi ddysgu'r hanes,' awgrymodd Seimon.

'Hy! Gwastraff amser!'

Gwenodd Seimon Morris a gofyn, 'Wyt ti'n wir yn meddwl hynny?'

'Ydw. Beth yw'r ots am bethau sy wedi digwydd? Pwy sy'n poeni am bobl sy wedi marw?'

'Does gen ti ddim diddordeb o gwbl yn y bobl fu'n byw ym Mlaencelyn? Y bobl a adeiladodd y tai rydych chi'n byw ynddyn nhw?'

'Dad adeiladodd ein tŷ ni,' meddai Graham. 'A dwi'n gwybod digon amdano fe i lenwi sawl llyfr.'

Chwarddodd Seimon. 'Digon teg; enghraifft wael. Ond a wyt ti erioed wedi ymweld â chastell, stadiwm pêl-droed, eglwys neu theatr a meddwl am yr holl bobl fu ynddyn nhw? Mae'r adeiladau'n dal yno, rhai ohonyn nhw'n hen iawn, ond mae'r bobl wedi mynd, y rhai a'u hadeiladodd a'r rhai oedd yn arfer gweithio ynddyn nhw ac yn eu defnyddio.'

Edrychai Seimon Morris ar y tri, ond â Graham roedd e'n siarad. 'Neu a wyt ti erioed wedi edrych ar yr enwau sy wedi'u hysgrifennu yn dy werslyfrau ysgol a meddwl tybed pwy oedden nhw, y rhai oedd wedi defnyddio'r llyfrau o dy flaen di? Oedden nhw'n casáu neu'n hoffi hanes? Falle dy fod ti'n gwybod pwy ydyn nhw ond ddim yn eu hadnabod. Falle'u bod nhw'n perthyn i ti, neu falle'u bod nhw ym mlwyddyn un ar ddeg erbyn hyn, neu wedi gadael yr ysgol ac yn enwog fel actorion, chwaraewyr pêl-droed ac yn y blaen. Wyt ti wedi meddwl am bethau fel yna o gwbl?'

Cododd Graham ei ysgwyddau'n ddi-hid ac edrych i ffwrdd gan ymddangos yn hollol ddidaro. Ond nid oedd yn twyllo Non; roedd hi'n gallu gweld bod geiriau Seimon wedi gwneud argraff arno, fel roedden nhw wedi ei wneud arni hithau. Doedd hi erioed wedi meddwl am hanes fel digwyddiadau agos a real o'r blaen. Ddim tan neithiwr pan oedd hi wedi sefyll yng nghegin Tyddyn Gwyn a meddwl am y pethau oedd wedi digwydd iddi yno yn y gorffennol.

'Fel sawl haenen o amser ar ben ei gilydd,' meddai Cai yn freuddwydiol, gan gofio rhywbeth roedd e wedi ei ddarllen yn rhywle, rywbryd. 'Pobl yn cerdded yn yr un lle, ond ar adegau gwahanol.'

'Ai nhw yw'r cwmwl tystion?' gofynnodd Non heb feddwl.

Trodd Seimon i edrych arni. 'Ble glywaist ti amdanyn nhw?'

'Em . . . ' Ceisiodd Non feddwl am ateb, ond ni allai feddwl am ddim i'w ddweud ond y gwir. 'Gweld y geiriau ar ddarn o bapur yn y drâr yn y garafán wnes i.'

Nodiodd Seimon. 'Ie, wrth gwrs. Dyna'r

geiriau dwi'n meddwl eu rhoi uwchben drws yr ysgoldy pan fydd y gwaith wedi ei orffen.'

'Cwmwl tystion?' meddai Cai yn dawel. Doedd e ddim wedi clywed Seimon yn sôn amdanyn nhw o'r blaen. 'Pwy oedden nhw?'

'Dyna'r enw sy'n cael ei roi ar bobl debyg i'r rhai a adeiladodd yr ysgoldy hwn. Doedd yna ddim byd arbennig ynglŷn â nhw, ond gadawon nhw eu hôl ar hanes am eu bod am wneud yr hyn oedd yn iawn, beth bynnag roedd pobl eraill yn ei feddwl ac yn ei ddweud amdanyn nhw. Fydden i'n synnu dim petai gan dy deulu di gysylltiad â'r ysgoldy, Non, gan eu bod nhw wedi bod yn yr ardal ers dros ddau gan mlynedd.'

'Shwd y'ch chi'n gwybod hynny?' gofynnodd Non yn syn.

'Am fod gen i ddiddordeb yn hanes yr ardal a'i phobl.'

Syllodd Non arno. Neithiwr roedd ei thad-cu wedi dweud yr un peth am Alice James. Beth oedd mor ddiddorol am y lle? A pam nawr? Pam roedd dau berson dieithr yn cymryd cymaint o ddiddordeb ynddyn nhw yn sydyn?

Cydiodd Non yn ei llyfr nodiadau a dechrau ysgrifennu.

'Ydych chi am weld y tu mewn i'r ysgoldy?' cynigiodd Seimon Morris.

Neidiodd Cai ar ei draed, yn awyddus i

ddangos y gwaith roedd ef wedi ei wneud i'w ffrindiau.

'Meddwl am Non a Graham oeddwn i, Cai,' meddai Seimon, gan wenu ar frwdfrydedd ei gynorthwywr.

'Alli di dynnu llun o'r tu mewn,' meddai Non wrth Graham.

'Dyna beth fydde gwastraff ffilm,' meddai Graham, gan godi ar ei draed.

'Ond do'n i ddim yn meddwl bod angen ffilm ar dy gamera di,' meddai Non yn ddiniwed.

PENNOD 11

'Mae bron dau gan mlynedd ers i'r ysgoldy cynta gael ei adeiladu,' meddai Seimon Morris wrth iddo arwain y ffordd i mewn i'r adeilad. '1833 oedd y flwyddyn, ond waliau o bridd a tho gwellt oedd gan hwnnw.'

Roedd tu mewn yr adeilad yn hyfryd o oer ar ôl y gwres llethol tu allan, ac am eiliad ar ôl iddi gerdded drwy'r drws ni allai Non weld dim; roedd camu o'r haul cryf i'r adeilad tywyll wedi ei dallu'n llwyr. Ond ar ôl i'w llygaid gyfarwyddo â'r newid gwelai mai dim ond un ystafell fawr oedd i'r ysgoldy, rhyw ddeg metr o hyd a phum metr o led, a'r nenfwd, a ddilynai siâp y to, yn ddim mwy nag wyth metr yn ei fan uchaf.

Doedd dim byd arbennig na hardd ynghylch ei bensaernïaeth, chwaith: drws pren dwbl yn un pen, a lle tân bychan yn ei wynebu yn y wal gyferbyn. Ar hyd waliau plaen yr ochr roedd pedair ffenest dal a chul, dwy i bob ochr. Mewn sawl man lle'r oedd lleithder wedi briwsioni'r plaster roedd waliau carreg yr adeilad i'w gweld yn glir, ac roedd llawer o'r plaster oedd yn weddill wedi ei dynnu i ffwrdd er mwyn ei ail-wneud.

'Mae Cai wedi bod yn help mawr gyda'r gwaith o dynnu'r plaster,' meddai Seimon.

'Ro'dd e'n sownd iawn mewn mannau,' meddai Cai, gan gerdded at y wal a thynnu ei law dros y cerrig 'Ond mewn mannau eraill, dim ond rhoi dy law tu ôl iddo a thynnu o'dd angen ei wneud a bydde hanner y wal yn syrthio.'

'Yyyyyyywwww,' meddai Graham, gan ddylyfu gên. 'Diddorol iawn, Cai.'

'Pam o'dd pobl Blaencelyn am adeiladu ysgoldy?' gofynnodd Non er mwyn gwneud iawn am ddiffyg diddordeb Graham.

'Am nad oedden nhw'n cytuno ag offeiriad eglwys Llanddewi, a'u bod am addoli Duw mewn adeilad o'u dewis nhw. Am flynyddoedd cyn hynny roedden nhw wedi bod yn cyfarfod mewn nifer o dai'r ardal, ond yna fe benderfynon nhw gael ysgoldy iawn i gynnal ysgol Sul fel y gallai'r bobl ddysgu darllen. Mae'r ysgoldy ar dir oedd unwaith yn perthyn i Blas Alltlwyd ac fe gawson nhw'r tir hwnnw'n rhodd gan Elizabeth Herbert, gwraig John Herbert, perchennog y plas.'

'Dyna'r cysylltiad rhwng y ddau le?' gofynnodd Non.

'Ie, y cysylltiad cynta. Ond mae mwy na hynny i'r hanes.'

'O, grêt,' meddai Graham, gan wasgu'r can gwag yn ei law.

~

'Roedd perthynas dda iawn rhwng pobl yr ardal a theulu Plas Alltlwyd. Roedd y mwyafrif ohonyn nhw naill ai'n gweithio ar dir y plas neu'n denantiaid ar ffermydd oedd yn perthyn i'r plas, ac roedd John ac Elizabeth Herbert yn cymryd diddordeb mawr yn lles y bobl.'

Roedd y pedwar wedi gadael yr ysgoldy ac yn cerdded ar hyd y ffordd gul o'r pentref i gyfeiriad Plas Alltlwyd. Lôn y Plas roedd pobl yn ei galw, er nad oedd yna arwydd na dim byd swyddogol, hyd yn oed ar fap, yn dweud hynny.

Chwythai awel ysgafn drwy'r coed a'r llwyni o'u cwmpas, ond ychydig o wahaniaeth a wnâi hynny i'r gwres llethol a bwysai i lawr arnynt ac a godai i fyny o'r ffordd. Yr unig un a ddangosai unrhyw egni oedd Gel, a redai yn ôl ac ymlaen yn ddi-baid.

'A bu pawb fyw'n hapus byth wedyn,' meddai Graham, gan dorri pren o'r clawdd a dechrau pladuro'r gwair a'r blodau gwyllt a dyfai arno. Roedd ef wedi hen flino ar hanes yr ysgoldy, Plas Alltlwyd a phopeth arall. Roedd yn ysu am ragor o ddiod, ond roedd y bisgedi a'r caniau i gyd wedi eu gadael yn ôl yn y garafán.

'Naddo, Graham,' meddai Seimon Morris, heb dynnu ei lygaid oddi ar ben draw'r llwybr. 'Ychydig iawn o bobl sy'n byw'n hapus byth wedyn.'

'Pam, beth ddigwyddodd?' gofynnodd Non.

'Ganwyd plentyn i John ac Elizabeth Herbert. Roedd tri phlentyn arall wedi eu geni iddyn nhw cyn hynny, dwy ferch a bachgen, ond roedd y tri wedi marw pan oedden nhw ond ychydig fisoedd oed. Felly pan anwyd David Edward Herbert a chyrraedd ei bcn-blwydd cyntaf, roedd dathlu mawr yn y plas a'r holl ardal o gwmpas.'

'Nawr bu pawb fyw'n hapus byth wedyn, 'te,' meddai Graham. Anwybyddodd pawb ei sylw a thaflodd Graham y pren mor bell ag y gallai dros y clawdd. Am eiliad ystyriodd Gel redeg ar ei ôl, ond roedd yr ast yn llawer rhy gall i wneud hynny ar ddiwrnod mor boeth.

'David oedd yr unig blentyn, yr unig fachgen — etifedd Plas Alltlwyd,' meddai Seimon Morris, gan barhau i adrodd yr hanes. 'Roedd cael etifedd yn bwysig iawn i John Herbert, er mwyn sicrhau bod yr ystad yn aros yn y teulu. Tyfodd David yn ddyn ifanc iach, a phan oedd e'n un ar hugain oed fe aeth i Lundain i gael ei hyfforddi i fod yn gyfreithiwr. Dyna pryd y dechreuodd pethau fynd o'i le.'

'Be sy o'i le ar fynd i Lundain?' gofynnodd Graham, gan dynnu ei gamera o'i boced a dringo i ben y clawdd. 'Mae'n bendant yn well nag aros fan hyn.'

'Roedd bywyd Llundain yn wahanol iawn i fywyd ym Mhlas Alltlwyd . . . '

'Alli di ddweud hynny eto,' meddai Graham, gan syllu drwy'r camera.

' . . . ac roedd nifer o'r bobl yn wahanol hefyd. Roedd y cwmni cyfreithwyr lle'r oedd David yn gweithio yn gofalu'n iawn amdano fe, ond roedd yno bobl eraill a oedd yn gweld eu cyfle i gael eu dwylo ar ei arian.'

'Lladron?' gofynnodd Graham, gan neidio i'r llawr a dangos ddiddordeb am y tro cyntaf.

'Ie, o fath. Pobl oedd yn ei dwyllo i wario'i arian.'

'Ond pam na fydde fe wedi dod adre?' gofynnodd Cai, na allai ddeall pam y byddai rhywun am adael Blaencelyn o gwbl.

'Am ei fod yn mwynhau byw yn Llundain; yn mwynhau'r bywyd yno, yn mwynhau'r partïon, yr yfed a'r gamblo, ac yn enwedig yr holl sylw roedd yn ei gael gan ei ffrindiau newydd.'

'Ond do'n nhw ddim yn wir yn ffrindiau iddo fe, o'n nhw?' meddai Non, yn teimlo dros fab Plas Alltlwyd. 'Esgus o'n nhw er mwyn dwyn ei arian.'

'Ie.'

'Ddaeth e 'nôl i Blas Alltlwyd o gwbl?' gofynnodd Cai.

'Do, ar ôl iddo briodi.'

Nawr ddylai Graham ddweud, 'A bu pawb fyw'n hapus byth wedyn', meddyliodd Non. Ond chwalodd geiriau nesaf Seimon y darlun perffaith hwnnw.

'Cafodd ei dwyllo i briodi.'

'Ei dwyllo? Shwt?' gofynnodd Non.

'Roedd e wedi meddwi ryw noson, a phan ddihunodd bore drannoeth roedd e wedi priodi Margaret Allen, chwaer William Allen, un o'i ffrindiau newydd.'

Chwarddodd Graham. 'Mae David Edward Herbert yn swnio'n real ffŵl yn cael ei dwyllo fel'na. Wneith neb fy nhwyllo i pan af i i Lundain.'

'A dyna pryd ddaeth e 'nôl i Blas Alltlwyd,' meddai Non.

'Ie. Roedd ei dad wedi marw ychydig fisoedd cyn hynny a David oedd perchennog y plas bellach. Falle mai dyna beth roedd William Allen wedi bod yn disgwyl amdano; aros nes bod ei dad wedi marw ac yna ei dwyllo i briodi ei chwaer. Pan ddaeth David adre fe ddaeth â sawl un o'r ffrindiau roedd ef wedi eu gwneud yn Llundain gydag e.'

'Beth am ei fam? O'dd hi'n dal i fyw yn y plas?' gofynnodd Non.

'Na, symudodd hi i Neuadd Wen, plasty bychan arall oedd yn perthyn i'r ystad, a gadael Plas Alltlwyd i David a'i wraig.'

Cerddodd y pedwar yn eu blaen yn dawel am rai munudau; Non a Cai yn meddwl am David Edward Herbert, a Graham yn brysur yn tynnu gwair o'r clawdd ac yn ei daflu i fyny i'r awyr.

'Ond nid dyna ddiwedd y stori chwaith,' aeth Seimon Morris yn ei flaen, gan arwain y lleill o'r ffordd galed ar hyd llwybr cyhoeddus drwy goedwig Alltlwyd i gyfeiriad yr hen blasty. 'Roedd William Allen a rhai o'r ffrindiau'n ymhél â dewiniaeth.'

'Dewiniaeth?' meddai Non.

'Ie, swynion a phethau fel'na,' meddai Cai.

'Abracadabra,' meddai Graham, gan chwifio'i freichiau mewn cylchoedd o'i flaen a dymuno'n dawel iddo'i hun y byddai'r lleill yn diflannu fel y gallai ef fynd adref at ei gyfrifiaduron.

'Ond dyw pethau fel'na ddim yn wir, ydyn nhw?' meddai Non. 'Dim ond mewn storïau neu ffilmiau maen nhw'n digwydd.'

'A gêmau cyfrifiadur,' meddai Graham, gan ddal i chwifio'i freichiau o gwmpas yn y gobaith o greu swyn.

Arhosodd Seimon Morris a throi at y tri arall. 'Yn ogystal â'r byd naturiol ry'n ni'n gallu ei weld a'i gyffwrdd, ry'n ni hefyd yn rhan o fyd ysbrydol a goruwchnaturiol. Ac yn ogystal â bod yn fodau o gig a gwaed, ry'n ni hefyd yn fodau ysbrydol sy'n gwybod yn iawn bod mwy i fywyd na'r hyn ry'n ni'n ei weld a'i gyffwrdd. Ac fel mae rhai pobl heddiw yn breuddwydio am gysylltu â bodau o blanedau eraill a fydd yn gallu ateb eu cwestiynau, yn amser David Herbert roedd pobl yn ceisio cysylltu ag ysbrydion i gael atebion.'

'Mae rhai yn dal i wneud hynny hefyd,' meddai Cai.

'Oes,' cytunodd Seimon. 'Ac mae'n gallu bod yn beryglus iawn.'

Roedd y pedwar yn ddwfn yng nghanol y goedwig erbyn hyn, yng nghysgod dail trwchus y coed. Tynnodd Non ei llaw ar hyd ei braich a theimlo'r croen gŵydd yn lledu ar hyd ei chnawd. Crynodd drwyddi.

'Digwyddodd rhywbeth ym Mhlas Alltlwyd, ondofe?' meddai Cai.

'Do.'

'Beth? Beth ddigwyddodd yno?'

'Pethau arswydus a chreulon iawn.'

'Fel beth?' gofynnodd Graham, gan awchu i glywed yr hanes. 'Rhywbeth gwaeth na'r *Exorcist* neu'r *Blair Witch Project*?'

'Llawer gwaeth, Graham,' meddai Seimon, gan gerdded ymlaen ar hyd y llwybr. 'Dim ond ffilmiau oedd y rheini; roedd hyn yn wir.'

PENNOD 12

'Yn ôl yr hanes, ar ôl iddyn nhw ddychwelyd o Lundain, William Allen oedd yn rhedeg ystad Plas Alltlwyd. Fe oedd yn rheoli'r arian ac yn dweud wrth bawb beth i'w wneud.'

'Ond beth am David?' gofynnodd Non. 'Fe o'dd perchennog y plas.'

'Ie, ond roedd William Allen yn ei gadw'n gaeth i gyffuriau ac alcohol fel na allai feddwl yn glir na gwneud dim drosto'i hun. Roedd rhai o weision a morynion y plas yn gweld sut roedd e'n cael ei drin ac yn gwneud eu gorau i'w helpu, ond pan ddaeth Allen i wybod am hynny fe'u gorfododd nhw i adael.'

'A cholli eu gwaith?' gofynnodd Non, a oedd yn gwybod llawer am y pwnc hwnnw.

'Ie. Pobl yr ardal oedden nhw bron i gyd; sawl un â theulu ym Mlaencelyn a bron pob un ohonyn nhw'n addoli yn yr ysgoldy, a dyna pam yr aeth Thomas Oliver, y gweinidog, i weld David Herbert. Ond doedd William Allen ddim yn fodlon i Thomas Oliver ei weld, a dim ond chwerthin am ei ben wnaeth Allen pan ofynnodd iddo roi eu gwaith yn ôl iddyn nhw. Dwedodd fod morynion a gweision newydd eisoes wedi dod o Lundain yn eu lle.'

'Ro'dd e'n ddyn drwg iawn, on'd o'dd e?' meddai Non.

'Beth wyt ti'n meddwl, "drwg"?' meddai Graham. 'Dyn busnes o'dd wedi gweld ei gyfle o'dd e, dyna i gyd.'

Synnai Non sut y gallai Graham fod mor oeraidd a dideimlad. 'Dyna beth fydde dy dad yn ei feddwl, ie?'

Crychodd Graham ei drwyn a chodi ei ysgwyddau'n ddi-hid.

'Beth ddigwyddodd wedyn?' gofynnodd Cai.

'Dros y misoedd nesa fe aeth pethau o ddrwg i waeth. Roedd William Allen a'i ffrindiau'n gwario arian David Herbert fel dŵr, ac i gael rhagor roedden nhw'n gwerthu tir ac yn codi rhenti tenantiaid yr ystad nes eu bod nhw bron yn ddwbl rhent ffermydd eraill y sir. Hefyd, fe ddaeth rhagor o wybodaeth am yr hyn oedd yn digwydd yn y plas i glyw pobl yr ardal. Roedd sôn bod Allen a'i ffrindiau'n cynnal seremonïau ffiaidd i alw ysbrydion drwg a demoniaid er mwyn cael pwerau a chyfrinachau'r tywyllwch. Roedd rhai hyd yn oed yn credu bod Allen yn defnyddio swynion i gadw David Herbert yn gaeth.'

'Celwydd, fwy na thebyg,' meddai Graham yn ddoeth. 'Mae hynny'n digwydd yn aml pan fydd pobl yn colli'u gwaith, neu'n credu eu bod nhw'n cael eu trin yn wael; maen nhw'n dechrau dweud celwydd am eu cyflogwr.'

'Na, Graham, roedd e'n wir, yn anffodus; roedd rhai o'r gweision a'r morynion wedi bod yn dystion i'r hyn oedd yn digwydd yn y plas, ac fe ofynnon nhw i Thomas Oliver fynd i siarad â William Allen unwaith eto, ond gwrthododd Allen gwrdd ag ef. Yn siomedig, fe alwodd Oliver bobl yr ardal i gyfarfod yn yr ysgoldy er mwyn trafod yr hyn ddylen nhw ei wneud.'

'Ond do'dd dim llawer allen nhw ei wneud, o'dd e?' meddai Cai.

'Wel, penderfyniad unfrydol pawb oedd y dylen nhw wrthwynebu'r drygioni roedd Allen a'i ffrindiau wedi ei ryddhau ym Mhlas Alltlwyd drwy weddïo ar Dduw i'w chwalu. Pan glywodd Allen fod pobl Blaencelyn yn cyfarfod yn yr ysgoldy fe aeth yn wallgof, ac roedd yn benderfynol o'u stopio.'

Cyrhaeddodd y pedwar foncyff coeden oedd wedi syrthio ar draws y llwybr. Arhosodd Seimon Morris a throi at y lleill.

'Roedd hi'n noson hyfryd ym mis Awst ac roedd y cyfarfod wedi dechrau ers rhyw awr, a sawl un o drigolion Blaencelyn eisoes wedi bod yn gweddïo, pan glywon nhw sŵn gorymdeithio a gweiddi ar y ffordd y tu allan i'r ysgoldy. Roedd William Allen a rhyw dri deg o'i gyfeillion a gweision newydd Plas Alltlwyd wedi cyrraedd.

'Galwodd Allen ar Thomas Oliver i ddod â'r cyfarfod i ben ac i bawb arall ddod allan. Petaen nhw'n gwneud hynny fe gaen nhw fynd adre'n dawel, ond pe na baen nhw'n gwrando arno, dywedodd Allen na fyddai e'n atebol am yr hyn a ddigwyddai iddyn nhw. Daeth Thomas Oliver i ddrws yr ysgoldy a dweud wrth Allen nad oedd ganddo ef ddim awdurdod yno ac y dylai ef a'i griw fynd adre i Lundain a gadael llonydd i'r ardal. Doedd Allen ddim yn gyfarwydd â chael rhywun yn ei wrthwynebu, ac roedd ymateb y gweinidog wedi ei gynddeiriogi. Taflodd un o'r dynion oedd gydag ef garreg at Thomas Oliver a'i daro ar ei dalcen, ac roedd hynny'n arwydd i weddill y gang ymosod ar yr ysgoldy.

'Er gwaetha'r anaf i'w ben, galwodd Thomas Oliver ar bobl Blaencelyn i beidio ymladd na gwrthsefyll yr ymosodiad, ond er iddyn nhw ufuddhau iddo, ni stopiodd hynny ddynion William Allen rhag curo'r bobl – gwŷr, gwragedd a phlant – wrth iddyn nhw'u llusgo allan o'r adeilad, a chyn hir roedd y ddaear o gwmpas yr ysgoldy yn goch gan eu gwaed. Ond doedd hynny ddim yn ddigon i fodloni ysfa Allen am ddrygioni, ac fe orchmynnodd chwalu muriau'r ysgoldy, llosgi'r to gwellt a dinistrio'r adeilad yn llwyr.'

Tawelodd Seimon Morris ac edrych ar wynebau difrifol y tri; roedden nhw wedi eu taro'n fud, hyd yn oed Graham, a oedd wedi trin y cyfan yn ysgafn iawn tan hynny. Roedd clywed bod y fath beth wedi digwydd ym Mlaencelyn wedi eu synnu.

'Ddaeth yr heddlu i arestio William Allen?' gofynnodd Non.

'Do'dd dim heddlu i'w gael amser 'ny,' meddai Cai.

'Teulu Plas Alltlwyd oedd yn gyfrifol am gyfraith a threfn yn yr ardal,' meddai Seimon. 'Ac os oedden nhw'n torri'r gyfraith, roedd hi'n anodd iawn cael unrhyw un i'w dwyn nhw i gyfri.'

'Beth ddigwyddodd, 'te?' gofynnodd Non.

'Aeth William Allen a'i ddynion yn ôl i Blas Alltlwyd a chael parti mawr i ddathlu chwalu'r ysgoldy,' meddai Seimon, gan ddringo dros y boncyff a bwrw ymlaen ar hyd y llwybr.

PENNOD 13

'A dyna fe?' galwodd Graham ôl Seimon Morris
yn anghrediniol. 'Ddigwyddodd dim byd iddyn
nhw?'

Nid atebodd Seimon, ac ni throdd yn ôl
chwaith. Gel oedd y cyntaf i neidio dros y
boncyff a rhedeg ar ei ôl, a sgrialodd y tri arall
i'w dilyn. Rhaid bod yna ddiwedd gwell i'r
hanes. Gwyddai'r tri mai anaml iawn roedd
storïau'n gorffen 'a bu pawb fyw'n hapus byth
wedyn', fel roedd Graham wedi cellwair yn
gynharach, ond . . . ond rhaid bod yna ddiwedd
gwell i'r stori hon.

'Beth am David Herbert?' gofynnodd Non.
'Beth ddigwyddodd iddo fe?'

'A'r ysgoldy,' meddai Cai. 'Os o'dd yr adeilad
wedi ei ddinistrio, pwy adeiladodd yr un
newydd?'

Erbyn hyn codai'r llwybr yn serth ar hyd ochr
y bryn ac roedd y coed yn dechrau teneuo a
lleihau wrth iddo agosáu at gyrion y goedwig.
Camodd Seimon Morris allan i'r haul ac aros.

Daeth Non, Cai a Graham i sefyll yn ei ymyl a syllodd y pedwar i lawr i'r dyffryn ac ar adfeilion Plas Alltlwyd yn yr haul cynnes.

'Yn ôl y sôn, fe fuon nhw'n yfed tan oriau mân y bore ac fe allech chi glywed sŵn y dathlu a'r canu a'r gweiddi am filltiroedd o gwmpas,' meddai Seimon heb dynnu ei lygaid oddi ar yr adfail. 'Yna tua pedwar o'r gloch y bore dyma un o weision y plas yn carlamu ar gefn ceffyl ar hyd y ffordd i Flaencelyn gan sgrechian nerth ei ben fod y plas ar dân. Rhuthrodd bron pawb o'r pentre, y rhai a oedd yn ddigon iach, i helpu diffodd y tân ac i achub y bobl oedd yn yr adeilad. Ond roedd hi'n rhy hwyr; roedd y to'n wenfflam a'r fflamau'n neidio ddegau o droedfeddi i'r awyr. Gwnaeth pobl Blaencelyn eu gorau i ddiffodd y tân ond dinistriwyd y rhan fwyaf o'r plas cyn iddyn nhw lwyddo.'

Tawelodd Seimon a syllodd y pedwar mewn distawrwydd ar yr olygfa o'u blaen. Cragen heb do oedd Plas Alltlwyd nawr, a thyllau'n frech ar hyd ei furiau uchel. Tynnodd Graham ei gamera o'i boced a'i anelu at y plas. Roedd hi'n anodd iawn cysylltu'r digwyddiadau erchyll roedd Seimon Morris newydd eu disgrifio â'r adfail llonydd, tawel yn y dyffryn islaw.

'Beth am y bobl?' gofynnodd Non o'r diwedd. 'Ddihangon nhw o'r tân?'

'Naddo,' meddai Seimon yn dawel. 'Ddim i

gyd. Lladdwyd dau ddeg saith o bobl; dau ddeg pedwar o'r rhai oedd yn y plas pan gyneuodd y tân, a thri o drigolion Blaencelyn wrth iddyn nhw geisio achub pobl o'r adeilad. Roedd mab Thomas Oliver yn un o'r rhai gafodd ei ladd.'

'Beth am David Herbert? Gafodd e ei achub?'

'Naddo; roedd e a'i wraig ymhlith y rhai fu farw yn yr adeilad.'

'A William Allen?' gofynnodd Graham. 'Beth ddigwyddodd iddo fe?'

'Fwy na thebyg iddo ef farw yn y tân hefyd. Roedd nifer o'r cyrff wedi eu llosgi mor wael roedd hi'n amhosibl eu hadnabod, ac roedd rhai'n credu bod William Allen yn un ohonyn nhw.'

'Ond . . .' meddai Cai, a oedd yn clywed tinc o amheuaeth yn llais Seimon.

'Ond fe ddwedodd un o forynion Plas Alltlwyd ei bod hi wedi gweld William Allen yn marchogaeth i ffwrdd funudau cyn i bobl Blaencelyn gyrraedd. A gan nad oes tystiolaeth bendant naill ffordd na'r llall, does neb yn siŵr beth ddigwyddodd iddo fe.'

Syllodd y pedwar ar yr adfeilion mewn distawrwydd am rai eiliadau cyn i Seimon Morris ddechrau cerdded i lawr y llwybr a arweiniai at y plas. Gweai'r llwybr cul i mewn ac allan rhwng coed, drysni a llwyni rhododendron trwchus. Bob hyn a hyn, wrth i'r tyfiant gau o'u cwmpas, fe gollai'r pedwar olwg ar y plas, ond yna, yn ddisymwth, wrth i'r llwybr ddod allan i'r haul, fe ddôi i'r golwg unwaith eto.

Roedd y pedwar newydd wthio'u ffordd heibio i lwyn rhododendron pan alwodd Non, 'Mae rhywun lawr 'na!'

Trodd y lleill i edrych i'r dyffryn, ond doedd neb i'w weld.

'Mae'r haul yn dechrau effeithio arnat ti,' awgrymodd Graham yn angharedig.

'Ro'dd rhywun yna!' mynnodd Non. 'Wir, weles i rywun yn cerdded heibio i gornel yr adeilad, ar bwys y goeden fawr 'na.'

'Falle mai cysgod y cymylau o'dd e,' awgrymodd Cai yn fwy caredig.

Ond roedd Non yn amau hynny; roedd yr awyr yn las ac yn glir, heb yr un cwmwl i'w weld yn unman.

᪣

'Wel, does neb yma yn bendant,' meddai Graham, gan neidio allan drwy un o ffenestri llawr isaf y plasty cyn gorfod neidio eto dros glwstwr o ddail poethion oedd rhyngddo ef a'r llwybr lle safai Non a Cai.

'Nagoes,' cytunodd Non yn gyndyn. 'Beth am edrych yn . . . ?'

'Ry'n ni wedi edrych ymhobman,' meddai Cai.

'Wyt ti'n siŵr?'

'Ydw.'

Edrychodd Non ar Graham.

'Paid edrych arna i. Os yw Indiana Jones fan hyn yn dweud ein bod ni wedi chwilio ymhobman, yna ry'n ni wedi chwilio ymhobman,' ac fe grwydrodd i ffwrdd i dynnu rhagor o luniau.

'Mae'n rhaid bod pwy bynnag welest ti wedi gadael cyn i ni gyrraedd,' awgrymodd Cai.

'Ie, mae'n rhaid,' meddai Non, gan edrych o'i chwmpas a dechrau amau a oedd hi wir wedi gweld rhywun.

Dim ond ychydig o du mewn Plas Alltlwyd oedd yn dal i sefyll, ond er hynny roedd gwychder gwreiddiol yr adeilad i'w weld yn amlwg wrth i'r tri grwydro o gwmpas. Roedd Seimon wedi eu rhybuddio i beidio â mentro'n rhy bell i mewn iddo gan mai dim ond y trawstiau a'r distiau a ymestynnai'n uchel uwch eu pennau oedd yn cadw'r muriau allanol rhag disgyn.

Taflai'r muriau hynny gysgodion trwchus ar draws y tir o'u cwmpas, ond dangosai'r cysgodion carpiog yn glir mai i'r gorffennol y perthynai gogoniant Plas Alltlwyd. Ac eto, mewn ambell gornel bychan o'r adeilad roedd rhai ystafelloedd a choridorau yn dal yn weddol gyfan. Tyfai drain ac ysgall, gweirach a chwyn o bob math ar hyd eu lloriau, ac ym mylchau a holltau'r muriau chwifiai stribedi o wlân a rwygwyd oddi ar gefnau defaid oedd wedi gwthio drwyddynt.

Gadawodd Non a Cai Graham i dynnu ei luniau a cherddodd y ddau at Seimon Morris a eisteddai yng nghysgod derwen fawr a dyfai ar un ochr i'r plasty. Gorweddai Gel yn ei ymyl, ei phen yn gorffwys ar goes ei meistr. Cydiodd Non yn ei llyfr nodiadau a dechrau ysgrifennu ei hargraffiadau o'r adeilad. Gorweddodd Cai ar ei gefn ar y gwair cynnes a syllu i fyny ar yr awyr drwy ganghennau'r goeden.

'Fuodd rhywun yn byw yma ar ôl y tân?' gofynnodd Cai.

'Do,' meddai Seimon, gan gau llyfr J. Llewelyn Thomas roedd wedi bod yn ei ddarllen tra bu'r tri'n archwilio'r adfail. 'Fe driodd nifer o bobl drwsio ac adnewyddu'r adeilad ond arhosodd neb yma'n hir. Does neb wedi byw yma nawr am yn agos i gan mlynedd.'

Cerddodd Graham tuag atyn nhw ar draws y cae gan glicio'r camera bob cam a gymerai.

'Wel?' gofynnodd Seimon. 'Oes gyda chi ddigon o ddeunydd ar gyfer eich project?'

'O, oes,' meddai Non yn frwdfrydig.

'Yn bendant,' meddai Cai, gan eistedd i fyny.

Ni ddywedodd Graham air; dim ond troi'n ôl at yr adfail a thynnu llun arall.

PENNOD 14

'Graham! Graham, ti sy 'na?' galwodd ei fam-gu o'r ystafell gefn.

'Ie!'

'Does neb yma, dim ond fi,' meddai'n druenus.

Doedd neb byth yno, meddyliodd Graham. Weithiau roedd ei dad mor brysur gyda'i waith fel yr âi dyddiau heibio heb i Graham ond prin ei weld. A doedd ei fam ddim yn un i ruthro adre i baratoi bwyd iddo chwaith. Roedd hi'n ddigon parod i wneud hynny i bobl eraill, ond wedyn, roedden nhw'n talu.

'Plant y crydd yn mynd yn droednoeth', roedd ei fam-gu wedi'i ddweud, ac er nad oedd Graham yn deall ystyr popeth a ddywedai, roedd wedi deall hynny'n iawn.

Dechreuodd ddringo'r grisiau, ond yna newidiodd ei feddwl a mynd i'r ystafell gefn at ei fam-gu.

'Helô, newydd ddod lawr wyt ti?' gofynnodd hi a gwên fawr ar ei hwyneb.

'Nage, newydd ddod mewn.'

'O.'

Eisteddai Megan Hughes o flaen y teledu a'r sain wedi'i diffodd a'r llun yn gymysgedd o liwiau porffor a gwyrdd.

'Ydych chi wedi bod yn chwarae gyda hwn 'to?' gofynnodd Graham, gan godi'r teclyn teledu o'r bwrdd yn ymyl ei fam-gu.

'Beth?'

'Ry'ch chi wedi bod yn chwarae â'r teclyn.'

'O,' meddai, 'mae hwnna wedi torri,' a chwifiodd ei braich yn ddirmygus i gyfeiriad y teledu.

Gwasgodd Graham rai o fotymau'r teclyn a dychwelodd llun perffaith, ond nid oedd ei fam-gu'n ymddangos fel pe bai'n sylwi ar y gwahaniaeth.

'Wyt ti eisie rhywbeth i'w fwyta?'

Cododd Graham ei ysgwyddau. 'Na, dwi'n iawn, diolch.' Ond yna'r eiliad nesaf newidiodd ei feddwl a cherddodd drwy'r drws a arweiniai i'r gegin.

Agorodd ddrws yr oergell fawr a syllu ar y platiau o frechdanau triongl a phasteiod bychain crwn. Crychodd Graham ei drwyn ar y cyfan a chydio mewn can o ddiod cyn cau'r drws a mynd i'r rhewgell i nôl *pizza*. Croesodd at y microdon a rhoi'r *pizza* ynddo, yna syllodd yn ddi-weld drwy'r ffenest i'r ardd wrth ddisgwyl iddo goginio. Canodd cloch y popty gan ddeffro Graham o'i synfyfyrio. Tynnodd y *pizza* allan a'i gario ef a'r ddiod yn ôl i'r ystafell gefn.

Roedd ei fam-gu'n cysgu, ei phen ar ei hysgwydd chwith a'i cheg ar agor. Eisteddodd Graham ar y gadair yn ei hymyl a bwyta'i fwyd. Cydiodd yn nheclyn y teledu a fflachio'i ffordd drwy'r degau o raglenni a dderbyniai'r lloeren, ond er iddo oedi am ychydig eiliadau ar ambell sianel, doedd yna ddim byd roedd ef am ei wylio mewn gwirionedd.

Gorffennodd y *pizza* a'r ddiod, diffodd y teledu a mynd i nôl can arall o'r oergell cyn dringo'r grisiau i'w ystafell. Roedd mwynhad a chyffro'r prynhawn wedi cilio bron yn llwyr.

～

'Dere i chwarae gyda fi, Cai!' galwodd Dyfan yr eiliad y gwelodd ei frawd yn neidio oddi ar gefn ei feic.

'Chwarae beth?'

'Trên, draw fan'co,' meddai, gan bwyntio at ben draw'r ardd lle'r oedd Cai wedi creu gwlad fach o fynyddoedd a dyffrynnoedd o gerrig a phridd i Dyfan gael chwarae yno â'i drên pren.

'Cai!' galwodd ei chwaer o'r tu mewn i'r tŷ.

'Ar ôl gweld Seran,' meddai Cai wrth ei frawd.

'O,' cwynodd Dyfan gan roi ei ddwylo ar ei

ochrau a thynnu wyneb pwdlyd. 'Bydda i'n aros fan hyn.'

'Iawn. Cofia nawr, paid symud.'

'Wna i ddim.'

'Dim modfedd.'

'Wna i ddim!'

'Dim centimetr.'

'Wna . . . i . . . ddim!'

Dechreuodd Cai am y tŷ, ond yr eiliad nesaf clywodd Dyfan yn rhedeg ar ei ôl. Trodd a'i godi uwch ei ben nes ei fod yn sgrechian, yna cariodd ef ar draws ei ysgwyddau i mewn i'r gegin lle'r oedd Seran yn gosod platiau o ffrwythau a llysiau amrwd ar y bwrdd mawr pren.

'Ro'dd Mam yn gofyn amdanat ti,' meddai, gan fynd i nôl torth o fara o'r pantri.

'Shwd mae hi?' gofynnodd Cai, gan roi Dyfan i lawr, ac fe ddringodd hwnnw i ben cadair a dechrau ei helpu ei hun i ddarnau o foron.

'Wedi blino.'

'Ro'dd hi'n peintio'n hwyr neithiwr eto; ro'dd hi'n dal wrthi ar ôl i fi fynd i'r gwely.'

'Mae hi wedi bod yn gorwedd ar y setî ers iddi godi.'

Cerddodd Cai o'r gegin a thrwy'r pasej a'i furiau oren a melyn a'r dwsinau o gotiau a grogai ar hyd un ochr iddo, a'r rhesi o esgidiau a theganau ar y llawr oddi tanynt. Gorweddai ei fam ar y setî yn yr ystafell fyw. Roedd ei llygaid ynghau ond gwyddai Cai o'r ffordd roedd hi'n anadlu nad oedd hi'n cysgu.

'Mam?'

Agorodd Jill Adams ei llygaid a lledodd gwên denau ar draws ei hwyneb gwelw.

'Ble wyt ti wedi bod?'

'Gyda Non a Graham.'

'O,' a thynnodd ei hun i fyny.

'O'ch chi'n gweithio'n hwyr neithiwr.'

'Llun newydd,' meddai, a daeth rhywfaint o fywyd i'w llygaid. 'Ro'n i wedi cael gweledigaeth arall ac ro'dd yn rhaid i fi ei dal hi cyn i fi ei cholli.'

'Gysgoch chi o gwbl?'

Edrychodd yn amheus ar ei mab. 'Do. Ar ôl gorffen. A dwi wedi bod yn cysgu bore 'ma hefyd,' ychwanegodd yn amddiffynnol.

'Chi'n gwybod beth ddwedodd y doctor.'

'Ond dwi'n gweithio'n well yn y nos pan mae pawb yn cysgu a'r tŷ'n dawel,' protestiodd, a'i llais yn troi'n wan a chwynfanllyd.

Edrychodd Cai arni. Weithiau byddai ei fam fel corwynt yn chwythu drwy bobman, yn newid popeth ac yn trefnu pawb. Ond ar adegau eraill fe fyddai mor wan y difywyd â chadach llestri, heb nerth i wneud dim. Câi foddion i'w chadw rhag gwibio o un eithaf i'r llall, ac ar y cyfan fe weithiai hynny'n iawn, ar wahân i'r cyfnodau pan gâi weledigaeth ac y byddai'n rhaid iddi fynd ati i beintio heb orffwys nes byddai wedi gorffen y llun a hithau wedi llwyr ymlâdd.

'Dwedodd Seran eich bod chi wedi bod yn chwilio amdana i.'

'Dim ond eisie dy weld di, dyna i gyd. Poeni amdanat ti.'

'Bwyd!' galwodd Seran.

'Dwi'n iawn. Dewch i gael cinio.'

'Iawn,' meddai, gan estyn ei braich iddo.

Aeth Cai at ei fam a'i chynorthwyo i godi o'r setî. Pwysodd hi ar ei fraich wrth i'r ddau gerdded i'r gegin.

Cyrhaeddodd Non a'i mam adref yr un pryd. Edrychai ei mam wedi blino ar ôl bore o lanhau yn nhŷ Graham, ond yn lle eistedd i lawr a gorffwys fe aeth yn syth i'r gegin i ddechrau paratoi cinio.

'Beth wyt ti eisie, Non?'

'Dim byd; cawson ni ddiod a bisgedi gyda Seimon Morris.'

Goleuodd wyneb ei mam. 'O, ie, ro'n i wedi anghofio. Sut aeth hi?'

'Yn dda iawn. Cawson ni lot fawr o wybodaeth gydag e, a dwi wedi cael menthyg hwn i'w ddarllen.' Dangososdd y llyfr gwyrdd ar hanes Blaencelyn a Herbertiaid Plas Alltlwyd.

'Ardderchog,' meddai ei mam, gan dynnu dau wy o'r oergell a'u rhoi mewn sosban ar y ffwrn i ferwi. 'Dim ond ei ysgrifennu sy ar ôl i'w wneud nawr, 'te.'

'Ie.' Gwgodd Non, oherwydd gwyddai mai ar ei hysgwyddau hi y byddai baich y gwaith hwnnw'n disgyn. Ond roedd yn benderfynol o fynd ar ôl Cai a Graham i'w helpu tra oedd yr hanes yn fyw yn eu cof. 'Wyddoch chi rywbeth am hanes dinistrio'r ysgoldy?' gofynnodd.

Trodd ei mam i edrych arni. 'Dinistrio . . . O, flynyddoedd 'nôl, ti'n feddwl, yr ysgoldy cynta?'

'Ie.'

'Na, ddim llawer. Dwi'n cofio clywed rhywbeth amdano pan o'n i yn yr ysgol fach. Rhywbeth i'w wneud â'r bobl o'dd yn arfer byw ym Mhlas Alltlwyd, rhyw anghytuno rhyngddyn nhw a'r gweinidog, ie?'

'Ddim yn hollol.'

'Wel, dyna dwi'n cofio'i glywed pan o'n i yn ysgol Llanddewi, beth bynnag.'

Synnai Non sut roedd amser wedi cymylu'r digwyddiadau; roedd hyd yn oed ei thad-cu wedi cael sawl peth yn anghywir. Roedd ef wedi cymysgu hanes David Herbert a William Allen â rhyw etholiad pan oedd pobl Blaencelyn wedi gwrthod pleidleisio fel roedd perchennog Plas Alltlwyd wedi dweud wrthyn nhw am wneud.

'Ond dwi ddim yn cofio pam yn hollol y dinistriwyd yr ysgoldy,' aeth ei mam yn ei blaen. 'Ydych chi'n mynd i sôn am hynny yn y project?'

'Ydyn.'

'Bydd rhaid i fi ei ddarllen e, 'te, i gael gwybod yr hanes yn iawn,' ac fe dynnodd y llysiau salad o'r oergell.

'Ydych chi'n cofio'r ysgoldy pan o'dd e ar agor?' gofynnodd Non.

'O, ydw,' chwarddodd ei mam. 'Dwi'n ddigon hen i gofio hynny.'

'Oeddech chi'n arfer mynd yno?'

'Ddwywaith bob dydd Sul; oedfa yn y bore ac ysgol Sul yn y prynhawn. Ro'dd e'n rhan bwysig o fywyd pobl Blaencelyn.'

'A beth oeddech chi'n ei wneud yno?'

'Wel, ti'n gwybod . . . ' ac edrychodd ar wyneb diddeall Non a sylweddoli nad oedd hi'n gwybod. Doedd Non erioed wedi bod mewn oedfa capel nac mewn ysgol Sul, a doedd ei mam erioed wedi sôn wrthi am y rhan yma o'i phlentyndod o'r blaen. Rhoddodd y ddysgl oedd yn ei llaw i lawr ar y bwrdd ac edrych arni.

'Wel, oedfa o'dd canu emynau a gwrando ar y gweinidog yn pregethu ar ddarn allan o'r Beibl. Ac ysgol Sul o'dd dysgu emynau ac adnodau o'r Beibl am fywyd Iesu Grist.' Edrychodd ymhell dros ysgwydd Non fel pe bai'n edrych yn ôl drwy'r blynyddoedd i'r dyddiau hynny. 'Ro'dd yr ysgoldy'n llawn bob dydd Sul, a bron pob teulu ym Mlaencelyn yn mynd yno. Ro'dd yr oedfaon yn gallu bod yn hir, a doedden ni'r plant ddim yn deall popeth ro'dd y gweinidog yn ei ddweud. Ond ro'dd yr ysgol Sul yn wahanol.'

Goleuodd wyneb Elin Owen, ac i lygaid Non

edrychai ei mam yn llawer ifancach wrth i'w chof ei chario'n ôl i'r gorffennol. 'Fe fydden ni'n cael lot fawr o hwyl yn yr ysgol Sul. Mrs Morgan, Ty'n Rhos, o'dd ein hathrawes ni. Ro'dd hi'n garedig iawn ac yn dod â thoffi cartre bob wythnos, ond fe fydde hi'n disgwyl i ni weithio cyn rhoi peth i ni. Y plentyn cynta i ddysgu'r emyn a'r adnodau fydde'n cael dewis y toffi cynta. Bydde pawb yn cael darn ganddi, ond y darn cynta o'dd y darn mwya.'

Chwarddodd ei mam wrth i'r atgofion lifo'n ôl. 'Oedfa dydd Sul ola pob mis o'dd y Cwrdd Plant, a dwi'n cofio Llinos Cefengaer a finne'n canu deuawd unwaith. Ro'n i'n canu soprano a Llinos yn canu alto, ond do'dd Llinos ddim yn gallu cadw at ei rhan hi bob tro a buon ni'n ymarfer yn galed drwy'r wythnos. Pan ddaeth bore'r Cwrdd Plant collodd Llinos bob rheolaeth a dechreuodd hi fy nilyn i i ganu soprano, ond pan fydden i'n newid i ganu alto er mwyn cael dau lais, bydde Llinos yn newid i ganu alto hefyd, a fel'na buon ni'n dwy drwy'r emyn. Erbyn i ni orffen ro'dd pawb yn chwerthin, a dwedodd Dafydd Williams y codwr canu ein bod ni fel dwy wennol yn gwibio drwy'i gilydd.' Chwarddodd unwaith eto nes bod ei llais yn atseinio drwy'r gegin.

Nid oedd Non wedi ei chlywed yn chwerthin mor rhydd ers misoedd. Ymhell cyn iddyn nhw adael Tyddyn Gwyn roedd ei hwyneb wedi mynd yn fwy difrifol a di-wên, ond nawr, yn sydyn, roedd ei hatgofion wedi gwthio'r blynyddoedd a'i phryderon i gyd naill ochr.

Agorodd drws y cefn a daeth tad-cu Non i mewn.

'Beth yw'r jôc? Ro'n i'n dy glywed di'n chwerthin o ben draw'r ardd.'

'O, dim byd,' meddai ei mam, gan sychu'i dagrau. 'Dweud wrth Non am Llinos Cefengaer a finne'n canu yn y Cwrdd Plant o'n i.'

'Bobol bach, ti'n mynd 'nôl blynydde nawr.'

'Hy! Diolch yn fawr. Dy'ch chithe ddim yn mynd yn ifancach, chwaith.'

'Beth yw hwn?' gofynnodd Tad-cu, gan godi'r llyfr am hanes Blaencelyn o'r bwrdd.

'Non gafodd ei fenthyg e gan Seimon Morris.'

'Hwnna sy'n adnewyddu'r ysgoldy?'

'Ie.'

'Hanes Blaencelyn. Dwi ddim wedi gweld hwn o'r bla'n.'

'Mae e'n llyfr prin iawn,' meddai Non, gan obeithio nad oedd gormod o bridd ar ddwylo'i thad-cu. 'Oeddech chi'n arfer mynd i'r ysgoldy, Tad-cu?'

'O, o'n, am flynydde. Ro'dd pawb yn arfer mynd. Ro'n i'n arfer cerdded yno bob dydd Sul o Dalwrn Hyfryd,' meddai Tad-cu, gan gyfeirio at y fferm lle cafodd ei eni.

'Beth, cerdded yr holl ffordd?' meddai Non yn syn.

'Chwe milltir ar hyd y ffordd fawr ond llai na phedair ar draws y caeau. Bydden ni'n cerdded yno fel teulu bob dydd Sul, ac os bydde hi wedi bod yn bwrw glaw, bydde 'nhad yn mynd gynta gan wthio'r rhaca wair ar ei chefn o'i fla'n i sgubo'r dŵr i ffwrdd i arbed ein sgidie. Ma'n siŵr ein bod ni'n edrych fel haid o gywion bach yn dilyn ceiliog.'

Chwarddodd y tri.

'Do'n i ddim yn gwybod hynny,' meddai mam Non wrtho.

'Dwyt ti ddim yn gwbod popeth, Elin.'

'Ond os o'dd *pawb* yn mynd i'r ysgoldy, pam gaeodd e?' gofynnodd Non.

'Wel, am fod . . . ' dechreuodd Tad-cu, ond yna stopiodd a throdd Non i edrych ar ei mam.

Siglodd hi ei phen a chodi'i hysgwyddau. 'Am fod pobl wedi rhoi'r gorau i fynd yno.'

'Ond pam?' gofynnodd Non eto. 'Os o'dd mynd i'r ysgoldy'n bwysig i bawb a'ch bod chi'n mwynhau mynd yno, pam roddoch chi'r gorau iddi?'

'Dwi ddim yn gwybod. Mae pobl yn newid, mae cymdeithas yn newid, ac mae pobl yn gwneud pethau gwahanol gyda'u hamser. Fel'na mae.'

'Cerdded ar draws y cae fel teulu o hwyaid,'

meddai Tad-cu, gan geisio ysgafnhau pethau eto. Ond roedd hyd yn oed ef yn ei chael hi'n anodd chwerthin y tro hwn.

PENNOD 16

Teipiodd Graham 'Plas Alltlwyd' i mewn i beiriant chwilio'i gyfrifiadur a chael dim ond chwe chanlyniad. Soniai tri o'r rheini am rywle yn Llanrhystud ac un am blasty yn sir Benfro, ond roedd y ddau arall yn cyfeirio at Blas Alltlwyd, Blaencelyn. Soniai'r cyntaf am westy'r Herbert Arms, Llanddewi, a oedd yn arfer bod yn eiddo i ystad Plas Alltlwyd, ond cyfeiriai'r ail at y plas ei hun gan roi ychydig o'i hanes.

Darn byr iawn oedd y cofnod heb ddim byd gwahanol ynddo i'r hyn roedd Seimon Morris wedi ei ddweud wrthyn nhw y prynhawn hwnnw. Yn wir, edrychai fel pe bai'r erthygl yn gadael llawer o'r hanes allan. Dywedai fod y plas wedi cael ei ddinistrio gan dân yn 1877, ond doedd dim sôn o gwbl am yr hyn a ddigwyddodd cyn y tân, nac am William Allen a'i ddilynwyr. Ond er gwaetha'r bylchau hyn, gan fod yr erthygl yn nodi enwau pobl eraill a rhai dyddiadau pwysig yn hanes y plas, gwasgodd Graham y botwm i'w hargraffu.

Wrth iddo aros, pwysodd Graham yn ôl yn ei gadair a meddwl. Ai celwydd, fel yr oedd ef wedi ei awgrymu i Seimon, oedd yr holl sôn am ddewiniaeth, ac nad oedd y straeon yn ddim byd ond ymgais ar ran pobl Blaencelyn i bardduo enw David Herbert? Yn ôl Seimon, nid David Herbert ond William Allen oedd i'w feio am yr holl helynt, ond doedd dim sôn amdano ef yn yr erthygl.

Crafodd Graham ei ben. Doedd hyn ddim yn gwneud synnwyr. Pam fyddai rhywun am gadw enw William Allen allan o hanes Plas Alltlwyd? A phwy fyddai am wneud hynny?

Ymddangosodd y dudalen o'r argraffydd a gwasgodd Graham y saeth ar frig y sgrin er mwyn dychwelyd i dudalen gyntaf peiriant chwilio'r cyfrifiadur.

Beth nesaf?

David Herbert, beth amdano fe? Teipiodd Graham ei enw i mewn i'r blwch a chael dros bedwar cant a hanner o filoedd o gyfatebiadau.

'Gormod!' gwaeddodd ar y cyfrifiadur. Sut oedd e'n mynd i balu drwy gymaint â hynny o safleoedd?

'Nage,' meddai Graham yn uchel. 'Ro'dd ganddo enw arall. David rhywbeth Herbert. David . . . David beth?'

Pwysodd yn ôl yn ei gadair eto i feddwl ac i geisio cofio rhagor o'r hyn roedd Seimon wedi ei ddweud. Petai wedi gwneud nodiadau fel Non fe fyddai ganddo fwy o gliwiau, ac wedyn . . .

'Edward!'

Teipiodd 'David Edward Herbert' i'r cyfrifiadur a chael dau gant a hanner o filoedd o gyfatebiadau.

'Dal yn ormod!' ebychodd, gan guro'r bwrdd ar ôl darllen y pymtheg cyfatebiad cyntaf. 'Watkin *Herbert* . . . Jack *Edward* FIRMAN . . . Cathy HOCKIN . . . *David* James HOCKIN . . . ' Yn lle rhoi'r tri enw gyda'i gilydd, roedd y cyfrifiadur yn cymryd y tri enw o bobman ac yn eu taflu nhw allan driphlith draphlith.

Teipiodd 'Herbertiaid' a chael dim ond pump y tro hwn, ond nid oedd gan yr un ohonyn nhw unrhyw gysylltiad â Phlas Alltlwyd.

'Hy!' ochneidiodd. Rhywle rhwng pump a dau gan mil a hanner roedd y wybodaeth roedd ef yn chwilio amdani, ond pa werth oedd i gyfrifiadur os nad oedd hi'n bosibl cael y wybodaeth allan ohono? Fe allai fod yno am wythnosau yn mynd drwy'r rhain i gyd.

O wel, byddai'n rhaid iddo aros tan drannoeth pan fyddai Non a Cai yn dod yno i ddechrau ysgrifennu'r project; efallai y bydden nhw'n gallu awgrymu rhywbeth. Ond fe fyddai wedi bod yn braf cael gafael ar rywbeth a fyddai'n newydd i'r ddau arall; dangos iddyn nhw ei bod hi *yn* bosibl cael gwybodaeth bwysig o'r we ac nad rhywbeth i chwarae gêmau arno yn unig oedd cyfrifia . . .

William Allen! Efallai nad oedd wedi dod ar ei draws mewn cysylltiad â Phlas Alltlwyd, ond mae'n bosibl fod rhywbeth amdano yn rhywle arall.

Teipiodd 'William Allen' a chael dros chwe chan mil o ganlyniadau.

'Grrrr!' ysgyrnygodd Graham. Roedd pethau'n mynd o ddrwg i waeth ac roedd ar fin rhoi'r gorau iddi pan gofiodd am alluoedd chwilio manwl y cyfrifiadur. Symudodd y cyrchwr i frig y sgrin unwaith eto a chlicio ar y geiriau *Advanced Search*.

'Reit, gawn ni weld nawr.'

Am y tri chwarter awr nesaf bu Graham wrthi'n ddyfal yn chwynnu ac yn naddu ei ymchwiliad nes o'r diwedd roedd wedi torri'r cannoedd ar filoedd o ganlyniadau i lawr i ychydig gannoedd. Hanner awr arall ac roedd hynny wedi ei leihau i naw; naw canlyniad roedd e'n siŵr oedd yn sôn am ei William Allen nhw, brawd-yng-nghyfraith David Edward Herbert.

Darllenodd yr erthygl gyntaf.

Ganwyd William Allen yn Llundain, yn fab i siopwr, ond roedd wedi dangos pan oedd yn ifanc iawn fod ganddo ddawn fathemategol arbennig. Aeth yn ddisgybl i fathemategydd a gwyddonydd enwog o'r enw Bartholomew Garland, a dyna pryd y dechreuodd ar ei ymchwiliadau i'r 'ddirgel ddysgeidiaeth', beth bynnag oedd hwnnw.

Ar ôl gorffen ei astudiaethau gyda Bartholomew Garland, aeth ef ei hun yn athro mathemateg gan ddysgu plant rhai o deuluoedd pwysicaf Lloegr, a thrwy hynny daeth yn gyfarwydd iawn â'r dosbarth aristocrataidd gan dderbyn cymorth ariannol gan nifer ohonynt. Yn ystod ei fywyd roedd William Allen wedi casglu miloedd o lyfrau a llawysgrifau ar bob math o bynciau, ond yn arbennig rhai ar ddewiniaeth ac alcemyddiaeth. Yn eu plith roedd copi personol Dr John Dee, y sêr-ddewinydd, o *Steganographia* gan Trithemius, Abad Sponheim, cyfrol yn ôl yr erthygl 'a fu'n gyfrifol am dywys John Dee, un o brif wyddonwyr yr unfed ganrif ar bymtheg, i arbrofi mewn cyfathrebu ag ysbrydion.'

Efallai bod pobl Blaencelyn wedi dweud y gwir amdano wedi'r cyfan, meddyliodd Graham, gan ddarllen am William Allen a'r llyfrau eraill roedd yn eu defnyddio. Roedd y llyfrau hyn yn gwneud ei gasgliad 'yn un o'r llyfrgelloedd pwysicaf ym Mhrydain, os nad yn Ewrop, ar ddewiniaeth a'r gelfyddyd ddu, a cholled fawr i bawb a ymddiddorai yn y meysydd hynny oedd eu dinistrio mewn tân.'

Tân!

Eisteddodd Graham i fyny yn y gadair. Roedd yr holl syllu ar y sgrin wedi ei wneud braidd yn flinedig, ond roedd yr un gair hwnnw wedi ei ddeffro.

Ond ble fu'r tân?

Chwiliodd Graham drwy'r swp o erthyglau roedd wedi eu hargraffu ond nid oedd yr un ohonynt yn dweud ymhle roedd William Allen yn byw pan losgwyd ei lyfrgell. Ac ar wahân i un nodyn bach a ddywedai ei fod wedi 'parhau gyda'i ymchwiliadau tra bu'n byw yng Nghymru am gyfnod', doedd dim sôn o gwbl am ei gysylltiad â Phlas Alltlwyd.

Trodd Graham yn ôl at yr erthygl oedd yn sôn am ei lyfrgell, a darllen: 'ond er gwaetha'r colledion hyn, ni rwystrwyd Allen yn ei ymchwiliadau a barhaodd tan ei farwolaeth yn 1885.'

1885?

Cydiodd Graham yn y papurau unwaith eto. Ie, dyna ni. Yn 1877 bu'r tân a ddinistriodd Blas Alltlwyd, ond roedd yr erthygl hon yn dweud mai yn 1885 y bu William Allen farw. Os oedd hynny'n wir, doedd e ddim wedi marw yn y tân hwnnw! Dywedodd Seimon fod un o'r morynion wedi ei weld yn marchogaeth i ffwrdd o'r plas, ac o'r hyn roedd Graham newydd ei ddarllen, rhaid bod hynny'n wir.

PENNOD 17

Trannoeth aeth Non i dŷ Graham gyda'i mam yn gynnar, yn y gobaith y byddai'n ei ddal yn cysgu. Ond er mawr syndod iddi, ac i'w mam, nad oedd wedi ei weld wedi codi cyn iddi gyrraedd unwaith yn ystod y gwyliau, roedd Graham ar ei draed ac yn llawn bywyd.

'Wnei di byth ddyfalu!' meddai'n gyffrous.

'Dyfalu beth?'

'Dyfala.'

'Beth? Dwi'n gorfod dyfalu beth dwi fod i ddyfalu yn ogystal â dyfalu beth yw e?'

Syllodd Graham yn hurt arni. 'Dwyt ti ddim yn gall.'

'Fi? Ti ddechreuodd e!'

'Ie, iawn,' meddai Graham gan ddechrau colli amynedd. 'William Allen. Ti'n cofio i Seimon ddweud nad o'dd neb yn siŵr a o'dd e wedi marw yn y tân neu beidio?'

'Ydw.'

'Wel, wnaeth e ddim.'

'Shwd wyt ti'n gwybod?'

'A,' meddai Graham, gan daro'i drwyn â'i fys.

'Graham!'

'Ocê, dere 'te, fe ddangosa i i ti.'

A dangosodd Graham iddi'r holl wybodaeth a gasglodd ar y cyfrifiadur y noson cynt.

Ond cyn i ben Graham dyfu'n rhy fawr fe ddangosodd Non iddo y gwaith roedd hi wedi ei wneud, sef rhoi trefn ar ei nodiadau yn ogystal â chwilio am ffeithiau yn llyfr J. Llewelyn Thomas.

'Mac tipyn o stwff gyda ni,' meddai Graham, gan edrych ar y ddau swp o bapurau ar y bwrdd ar bwys ei gyfrifiadur. 'Faint o eiriau yw'r project i fod?'

'O leia tair mil.'

'O,' meddai Graham a oedd yn meddwl bod unrhyw beth dros gant o eiriau'n llawer llawer gormod. 'Wel, os na fydd digon gyda ni, fe allwn ni wastad ei argraffu e mewn print mwy,' awgrymodd, gan ddatgelu un o'i hoff driciau i chwyddo nifer y tudalennau.

'Mae'n siŵr bydd digon gyda ni, rhwng y rhain a'r lluniau.'

'Y lluniau!' gwaeddodd Graham a oedd wedi anghofio'r cyfan amdanyn nhw. Edrychodd yn wyllt o gwmpas yr ystafell am y camera ond nid oedd i'w weld yn unman. Safodd ar ganol y llawr am funud neu ddwy gan droi yn ei unfan cyn cofio ei fod wedi ei adael yn y gegin.

Rhuthrodd o'r ystafell gan ddychwelyd ddwy funud yn ddiweddarach a'r camera yn ei law.

'Paid dweud dim,' meddai wrth Non pan welodd y wên nawddoglyd ar ei hwyneb.

'Pwy, fi?' meddai Non yn ddiniwed.

Roedd y cyfrifiadur eisoes ynghynn ac ni chymerodd fwy nag ychydig eiliadau i Graham gysylltu'r camera iddo a chychwyn y rhaglen i ddangos y lluniau.

'Mae tair mil o eiriau bron yn wyth tudalen,' meddai Non, gan wneud y sym yn ei phen.

'Ond os allwn ni gael llun ar bob tudalen bydd hynny'n siŵr o wneud y project ryw ddwy neu dair tudalen yn fwy.'

'Mae hynny'n dibynnu ar faint y lluniau.'

'Paid poeni am hynny; alla i eu chwyddo nhw neu eu lleihau nhw yn ôl y gofyn,' meddai, gan agor cof y camera a rhestru'r lluniau ar y sgrin. 'Allwn ni ddechrau gyda llun o'r ysgoldy,' ac fe gliciodd ar y llun cyntaf ar y rhestr.

'Na, project am Blas Alltlwyd yw e,' meddai Non. 'Byddai'n well dechrau gyda llun o'r plas, ac wedyn pan fyddwn ni'n sôn am helynt yr ysgoldy allwn ni roi llun ohono i mewn.'

'Iawn,' meddai Graham, gan glirio'r llun o'r sgrin a symud y cyrchwr i lawr y rhestr. 'Beth am hwn?'

Cliciodd ar yr eicon ac ymddangosodd llun o'r plasty o ryw hanner can metr i ffwrdd.

'Rhy bell.'

'Em . . . beth am hwn, 'te?' ac agorodd lun agosach o'r plasty.

'Ie, mae hwnna'n well.'

'Un deg chwech,' meddai Graham, gan wneud nodyn o rif y llun.

'Beth am y lleill? Well i ni wneud yn siŵr eu bod nhw wedi dod mas yn iawn.'

'Dod mas yn iawn? Lluniau digidol yw'r rhain; maen nhw wastad yn "dod mas yn iawn".'

'Allwn ni weld be sy gyda ni, 'te?' gofynnodd Non yn amyneddgar.

'Iawn.' Aeth Graham yn ôl i'r eicon cyntaf ac o un i un fe agorodd y lluniau: lluniau'r ysgoldy yn gyntaf, yna'r daith i Blas Alltlwyd, gan gynnwys lluniau o goed, gwartheg, cymylau, y llawr ('Ie, wel, ro'dd Seimon yn mynd 'mlaen a 'mlaen am yr hanes, on'd o'dd e?'), ac i orffen, y rhai o gwmpas a'r tu mewn i'r plasty ei hun.

'Beth yw hwnna?' gofynnodd Non pan oedd Graham yn dechrau blino gweld llun ar ôl llun o domenni o gerrig a drysni, ac yn eu hagor a'u cau cyn iddi gael cyfle i'w gweld nhw'n iawn.

'Beth yw beth?'

'Yn y llun dwetha, yr un rwyt ti newydd ei gau.'

Ochneidiodd Graham ac ailagor y llun. 'Llun dynnes i yn edrych mewn drwy un o'r ffenestri cefn. Tynnes i ddau neu dri ohonyn nhw o'r un lle.' Cliciodd ar y ddau eicon nesaf ac ymddangosodd dau lun arall o'r un olygfa, yn edrych drwy ffenest i mewn i ystafell a thrwy'r drws allan i'r coridor tu hwnt. Llusgodd Graham y lluniau ar draws y sgrin nes ei bod hi'n bosib gweld y tri ochr yn ochr.

'Dyna sy'n dda am gamera digidol,' meddai Graham, gan sefyll i fyny a phlethu ei freichiau. 'Alli di gymryd faint fynni di o luniau o olygfa a dewis y gorau heb wastraffu ffilm.'

Ond doedd Non ddim yn gwrando arno. Roedd hi'n astudio'r tri llun ac yn symud ei llygaid o'r naill i'r llall gan gymharu'r hyn roedd y camera wedi ei ddal.

'Hwnna,' meddai, gan bwyntio at y sgrin. 'Beth yw hwnna?'

Plygodd Graham ymlaen ac edrych ar ddarn tywyll roedd Non yn pwyntio ato yng nghornel un o'r lluniau.

'Dwi ddim yn gwybod. Cysgod?'

'Ond dyw e ddim yn y lluniau eraill.'

Edrychodd Graham ar y ddau lun arall a chodi ei ysgwyddau. 'Mae'r haul wedi symud ac mae'r cysgod wedi diflannu.'

'Mor gyflym â hynny?'

Astudiodd Graham y lluniau eto a chytuno â Non. 'Na, ti'n iawn, fydde fe ddim wedi diflannu mor gyflym â hynny,' ac estynnodd am y llygoden.

'Ydi hi'n bosib chwyddo'r llun i weld beth yw e?'

'Dyna beth dwi'n mynd i neud,' ochneidiodd Graham gan osod y cyrchwr uwchben y darn tywyll yn y llun a thynnu ffrâm o'i gwmpas. Cliciodd arno ddwywaith a chwyddodd y darn i bedair gwaith ei faint. Yna symudodd Graham y cyrchwr i frig y sgrin a chlicio ar eicon golygu'r rhaglen ac o dipyn i beth fe ddaeth y llun yn gliriach.

Safodd Non i fyny ac edrych ar y llun newydd.

'Ro'n i'n iawn,' meddai. 'Dwedes i 'mod i wedi gweld rhywun.'

Ac er nad oedd wyneb y person i'w weld yn glir, roedd digon ohono, ynghyd â'r dillad llaes tywyll, i Non wybod i sicrwydd mai Alice James roedd hi wedi ei gweld yn stelcian o gwmpas Plas Alltlwyd.

PENNOD 18

Safodd Cai ar ben yr ysgol a derbyn y llechen oddi wrth Seimon Morris cyn ei chario i lawr at y rhesi taclus o lechi a bwysai yn erbyn wal yr ysgoldy. Gwasgai haul y bore yn gynnes ar ei war, ond roedd Cai yn gyfarwydd ag ef erbyn hyn; haf fel hynny roedd hi wedi bod, a doedd dim arwydd o law yn unman.

'Dyna ni!' galwodd Seimon, gan ddisgyn yr ysgol. 'Dyna'r olaf o'r ochr yma.'

Edrychodd i fyny at drawstiau noeth y to, yn fodlon ar yr hyn roedd ef a Cai wedi ei gyflawni'r bore hwnnw.

'Rhywbeth i'w yfed cyn dechrau'r ochr arall, ie?'

Nodiodd Cai. 'Ie.'

Synhwyrodd Gel efallai fod yna gyfle am fwyd ac fe'i llusgodd ei hun allan o'r cysgod o dan y garafán a chamu'n ddiog at y ddau. Eisteddodd Cai ar y gwair ac ymlwybrodd Gel tuag ato, gan wthio'i phen dan ei law. Tynnodd Cai ei law dros ben y ci defaid a mwytho'i chlustiau cynnes.

'Sut mae'r project yn dod yn ei flaen?' galwodd Seimon o'r tu mewn i'r garafán. 'Wedi dechrau ysgrifennu eto?'

'Mae Non a Graham i fod wrthi heddi yn teipio'r hyn ddwedoch chi wrthon ni ddoe,' galwodd Cai yn ôl.

'Wel, cofia os oes unrhyw beth arall alla i ei wneud i helpu,' meddai Seimon, gan ailymddangos ac estyn potel o ddŵr i Cai.

'Iawn, diolch,' ac agorodd Cai y botel oer ac yfed yn sychedig.

Eisteddodd Seimon Morris yn nrws y garafán ac arllwys hanner y dŵr o'i botel ef i ddysgl Gel cyn yfed diferyn ei hun. Edrychodd Cai ar yr ast yn yfed yn awchus a swnllyd, a difaru na rannodd ef ei ddiod â hi hefyd. Sŵn Gel yn yfed a phryfed yn hedfan oedd y cyfan oedd i'w glywed am ychydig cyn i Cai ofyn, 'Pam y'ch chi eisie atgyweirio'r ysgoldy?'

Cyn ddoe nid oedd y peth wedi croesi ei feddwl. Roedd e wedi derbyn presenoldeb Seimon Morris yn y pentref yn ddigwestiwn, fel person arall oedd yn symud o'r dref i'r wlad i fyw, ac roedd Cai yn ddiolchgar am y cyfle i ennill ychydig o arian poced drwy ei helpu gyda'r gwaith atgyweirio. Ond ar ôl clywed Seimon yn adrodd hanes Plas Alltlwyd, a synnu ei fod yn gwybod cymaint amdano, roedd e wedi dechrau meddwl mwy am Seimon a'r ysgoldy a pham roedd e wedi dod i Flaencelyn.

'Wel, mae'n drueni gweld hen adeilad mor ddiddorol a hanesyddol â hwn yn y fath gyflwr.'

'Ond ro'dd e wedi bod fel'na ers blynyddoedd.'

'Hen bryd i rywun wneud rhywbeth, 'te.'

'Ond pam chi?'

Chwarddodd Seimon Morris. 'Pam lai?'

Ond nid oedd Cai yn fodlon. Credai fod atebion Seimon yn cuddio mwy nag yr oedden nhw'n ei ddatgelu. Gwgodd ac edrych ar ei draed.

Gwenodd Seimon Morris arno. 'Does dim dirgelwch ynglŷn â'r peth, Cai. Roeddwn i wedi cael digon ar fyw yng Nghaerdydd ac roedd hwn yn gyfle i fi wneud rhywbeth o werth am unwaith.'

'Ie, ond pam ddaethoch chi . . . ?'

Ond ni chafodd Cai gyfle i orffen ei gwestiwn. O'r ffordd fawr roedd sŵn rhedeg a gweiddi i'w glywed yn glir ac fe gododd Gel ei phen, dechrau cyfarth a mynd i weld beth oedd yr holl gyffro. Y funud nesaf daeth Non a Graham i'r golwg heibio cornel yr ysgoldy a Gel yn neidio'n groesawgar o'u hamgylch.

'Ro'n i'n iawn!' ebychodd Non a'i gwynt yn ei dwrn.

'Ac mae gyda fi'r dystiolaeth i brofi hynny!' gwaeddodd Graham, gan chwifio darn mawr o bapur uwch ei ben. Roedd hi'n amlwg ei fod wedi anghofio nad oedd wedi credu gair o'r hyn roedd Non wedi ei ddweud y diwrnod blaenorol am weld rhywun ym Mhlas Alltlwyd.

'Alice James,' meddai Cai, ar ôl iddo gael cyfle i weld y llun.

'Ie, dyna ro'n i'n ei feddwl hefyd,' meddai Non dan wenu ac edrych ar y lleill o un i un.

'A pwy yw Alice James?' gofynnodd Seimon Morris, gan syllu ar y llun dros ysgwydd Cai.

'Y fenyw sy'n byw yn Tyddyn Gwyn,' meddai Graham.

'Y fenyw gafodd y pwl rhyfedd yna yn y sgwâr ddoe?' gofynnodd Seimon.

'Ie.'

'Ond beth o'dd hi'n ei wneud ym Mhlas Alltlwyd?' gofynnodd Graham.

'Beth oedden ni'n ei wneud yno?' gofynnodd Seimon.

Syllodd y tri arno'n syn. 'Edrych ar y lle. Dysgu am ei hanes,' meddai Non.

'A dyna, fwy na thebyg, beth oedd hi'n ei wneud hefyd.'

'Ond pam na ddaeth hi i siarad â ni?'

'Falle'i bod hi'n swil . . . '

'Dyw Alice James ddim yn swil,' meddai Cai yn bendant.

' . . . neu am fod ar ei phen ei hun.'

'Ie, falle,' cytunodd Non yn gyndyn, ond yna cofiodd am y llais roedd hi wedi ei glywed yn

Nhyddyn Gwyn. 'Ond mae 'na rywbeth rhyfedd yn ei chylch.'

'Fel beth?' gofynnodd Graham.

Adroddodd Non yr hanes wrth y lleill, ac wrth iddi orffen cofiodd am rywbeth arall. 'A dwedodd Tad-cu bod un o'r dynion o'dd yn ei symud hi i Dyddyn Gwyn wedi cael damwain *ryfedd*.'

'Do, fe glywes i am hynny,' meddai Cai, ac fe ruthrodd ef a Non am y cyntaf i adrodd sut y cafodd y dyn ei daflu wysg ei gefn i lawr y grisiau heb iddo gael ei anafu, ac nad oedd yn cofio dim o'r hyn a ddigwyddodd iddo, na hyd yn oed beth oedd e'n ei wneud yno.

'Gwrach yw hi,' meddai Graham, gan fynd drwy ei swachau bwrw swyn unwaith eto.

'Paid siarad dwli,' meddai Non, ond daeth yr hyn roedd Seimon wedi ei ddweud ddoe am ddewiniaeth ac am William Allen a'r cyfan oedd wedi digwydd ym Mhlas Alltlwyd a'r ysgoldy yn ôl iddi. Edrychodd ar Seimon, ond roedd e'n amlwg yn meddwl am yr hyn roedd hi a Cai newydd ei ddweud.

'Pryd gafodd y dyn y ddamwain?' gofynnodd.

'Rywbryd prynhawn echdoe pan o'n nhw'n cario'r celfi i'r tŷ.'

Trodd Seimon Morris ei ben ac edrych i gyfeiriad y pentref, a sylwodd Cai fod yr un olwg bell a phryderus ar ei wyneb ag yr oedd wedi ei gweld brynhawn echdoe.

'Ond gwrachod,' meddai Non, gan wthio Graham a oedd yn dal i chwifio'i freichiau yn ei hwyneb. 'Does dim shwd beth i'w gael. Oes e?'

'Oes, Non, yn anffodus mae pobl i'w cael sy'n eu galw eu hunain yn wrachod a dewiniaid. A dwi ddim yn meddwl am y cymeriadau doniol a diniwed hynny mewn llyfrau a chartwnau.'

'Ie, ond . . . ' dechreuodd Non, ond ni allai feddwl 'ond' beth. 'Gwrachod?' meddai wedyn.

Edrychodd Seimon ar y tri, yn amlwg yn ystyried beth y dylai ei ddweud nesaf.

'Dwi'n gwybod ci bod hi'n anodd credu hynny, yn enwedig mewn lle tawel fel Blaencelyn, ond mae yna frwydr barhaol rhwng da a drwg yn cael ei hymladd ers creu'r byd. A dwi ddim yn sôn am ddigwyddiadau mawr hanes fel rhyfeloedd byd a chenhedloedd yn ymladd yn erbyn ei gilydd. Mae cweryla rhwng cymdogion, creulondeb rhieni tuag at eu plant ac anghytuno rhwng ffrindiau yn gymaint rhan o'r frwydr ag yw'r rhyfeloedd mawr, gan mai'r drwg yng nghalonnau pobl sy'n gyfrifol amdanyn nhw i gyd. Ac mae tywysogaethau'r tywyllwch yn barod iawn i ddefnyddio'r casineb hwnnw i'w dibenion eu hunain.'

Roedd Graham wedi rhoi'r gorau i'w ystumiau ac edrychai'r tri ar Seimon. 'Dwyt ti ddim o ddifri, wyt ti?' gofynnodd Graham.

'Ydw.'

'Ond tywysogaethau'r tywyllwch; mae hynny'n swnio fel rhywbeth allan o ffilm neu un o'r llyfrau mae Cai'n hoffi'u darllen.'

'Rwyt ti'n iawn, Graham,' meddai Seimon. 'Mae lot fawr o ffilmiau a llyfrau'n defnyddio'r gwirionedd am y frwydr hon, ac mae pobl yn derbyn hynny, ond os wnei di sôn amdani fel rhywbeth sy wir yn digwydd o'n cwmpas ni nawr, yr eiliad hon, bydd y bobl hynny'n edrych yn hurt iawn arnat ti.'

'Dwi ddim yn synnu,' meddai Graham.

'Pam?'

'Wel, does neb yn credu fod pethau fel hynny'n digwydd yn iawn, oes e? Ffuglen yw e.'

'Ond ti sy wedi bod yn chwifio dy freichiau o gwmpas y lle ac yn dweud abracadabra drwy'r amser,' meddai Non.

'Ie, fel tipyn o sbort.'

'A'r hyn a ddigwyddodd ym Mhlas Alltlwyd a'r ysgoldy gant a hanner o flynyddoedd yn ôl?' gofynnodd Cai. 'Tipyn o sbort oedd hynny hefyd?'

'Nage, ond . . . '

'A ti ffeindiodd y stwff ar y cyfrifiadur am William Allen a'r ffaith ei fod e'n siarad ag ysbrydion a bod gydag e lyfrau ar ddewiniaeth a'r gelfyddyd ddu a'i ddirgel ddysgeidiaeth a phethau fel'na,' meddai Non.

Agorodd Graham ei geg i'w hateb ond yna

oedodd a meddwl am ychydig cyn gofyn i Seimon, 'Wyt ti o ddifri'n dweud bod hyn yn digwydd ym Mlaencelyn? Blaencelyn o bob man! Be sy mor arbennig am Flaencelyn?'

'Dwi ddim yn gwybod,' atebodd Seimon Morris yn dawel. 'Ddim mwy nag rwy'n gwybod beth sy mor arbennig am Flaencelyn fel *na* allai ddigwydd yma.'

PENNOD 19

'Beth ddigwyddodd iddo fe ar ôl iddo fynd i Lundain?' gofynnodd Graham, gan daro'i fysedd yn ddiamynedd ar ymyl yr allweddell.

'Aeth e i gwmni drwg,' meddai Cai. 'Fel y mab afradlon.'

'Pwy?'

'Stori yn y Beibl,' meddai Non, gan gofio iddi ei darllen mewn llyfr a gafodd gan rywun ar ei phen-blwydd.

'O,' meddai Graham gan ddal i daro'r allweddell.

Roedd y tri wedi bod wrthi ers amser cinio yn ceisio rhoi trefn ar hanes Plas Alltlwyd drwy gysylltu'r hyn roedd Seimon Morris wedi ei ddweud wrthyn nhw, y wybodaeth roedd Graham wedi ei ddarganfod ar y we, a chynnwys *Hanes Blaencelyn a Herbertiaid Plas Alltlwyd*.

Non a Cai oedd wedi cael y dasg o gofio ac astudio, tra oedd Graham wedi gwirfoddoli i deipio.

'Beth mae'r llyfr yn ei ddweud?' gofynnodd

Graham, a oedd yn dechrau blino disgwyl i'r ddau arall roi'r wybodaeth iddo.

'Em . . . ' meddai Non, gan droi'r tudalennau ac yna darllen, 'Bron yn syth ar ôl iddo gyrraedd Llundain, disgynnodd etifedd Plas Alltlwyd i ganol cwmni drwg ac ymroi i wario arian fel dŵr.'

'Iawn,' meddai Graham, gan ddechrau teipio. Aeth y tri ymlaen wedyn i sôn am David Herbert yn cyfarfod â William Allen, ac am ychydig doedd dim i'w glywed yn yr ystafell ond sŵn clician yr allweddell.

'Faint o eiriau sy gyda ni nawr?' gofynnodd Non, gan daro'r llyfr ar ei phen-glin.

'Aros funud,' meddai Graham a oedd yn dal i deipio. 'Iawn,' meddai o'r diwedd a throi o'r cyfrifiadur.

'Faint o eiriau sy gyda ni?' gofynnodd Non eto.

'Em . . . ' a chliciodd Graham yr eicon cyfri geiriau. 'Pum cant tri deg saith.'

'O,' ochneidiodd Non yn siomedig. Roedd yr hanes wedi swnio mor ddiddorol a chyffrous pan oedd Seimon yn ei adrodd, ond rywsut roedd y cyfan yn ymddangos yn ddiflas iawn pan oedden nhw'n ceisio'i ysgrifennu. A doedd y tywydd ddim yn helpu chwaith; roedd hi'n llawer rhy boeth i weithio, a bron yn rhy boeth i feddwl.

'Diod,' meddai Graham, gan arbed yr hyn roedd wedi ei deipio.

'Beth am orffen y darn am y briodas gynta?' awgrymodd Cai.

Gwgodd Graham.

'Af i i nôl diod i bawb,' cynigiodd Non pan welodd yr olwg ar wyneb Graham; fe fyddai'n drueni rhoi'r gorau i'r gwaith nawr. 'Beth y'ch chi moyn?'

'Can,' meddai Graham.

'Dŵr i fi,' meddai Cai dros ei ysgwydd. 'Ac ar ôl sôn am y briodas, allwn ni fynd 'mlaen i sôn am yr ymosodiad ar yr ysgoldy a'r tân ym Mhlas Alltlwyd.'

'Ocê,' meddai Graham a oedd yn amlwg yn cael cymaint o flas ar y project â'r ddau arall, os nad mwy, er gwaetha'r ffaith nad oedd yn cytuno â phopeth roedden nhw wedi ei drafod gyda Seimon. 'Bant â ti.'

Gadawodd Non yr ystafell a disgyn y grisiau i'r cyntedd. Clywodd sŵn llais mam Graham yn dod o un o'r ystafelloedd ar y llawr cyntaf a chofiodd i Graham ddweud ei bod hi'n gweithio gartre'r prynhawn hwnnw, felly cerddodd yn ei blaen yn dawel at y gegin. Pasiodd ddrws agored yr ystafell gefn a gweld mam-gu Graham yno'n pendwmpian o flaen y teledu.

Ai dyna a wnâi hi bob dydd? meddyliodd Non wrth iddi gerdded i mewn i'r gegin. Roedd ei thad-cu yn llawer mwy bywiog, yn gweithio yn yr ardd ac yn mynd allan i'r Llew Du bron bob nos, ond wedyn doedd ef ddim yn sâl fel mam-gu Graham. Aeth yn syth at yr oergell a thynnu allan ddau gan ac un botel o ddŵr.

'Helô.'

Trodd Non yn sydyn a bu bron iddi ollwng y ddiod pan welodd ddyn tal mewn siwt hufen yn sefyll y tu ôl i'r drws. Dyna pam nad oedd hi wedi ei weld pan ddaeth i mewn.

'Helô,' atebodd yn dawel.

'Wnes i ddim dy ddychryn di, gobeithio?' meddai'r dyn dan wenu, a disgleiriodd gwynder ei ddannedd yn erbyn lliw haul tywyll ei groen.

'Naddo,' meddai Non, a'i chalon yn carlamu fel carnau ceffyl.

'Alun Morgan ydw i, dwi'n gweithio gyda Nerys, mam Graham,' ac arllwysodd ddŵr berwedig i mewn i ddau fŷg.

'O,' meddai Non, heb wybod sut i ymateb, ond yna dywedodd, 'Non Owen ydw i, ffrind i Graham.'

'O, ie, fe ddwedodd Nerys bod Graham a'i ffrindiau'n gweithio yma heddiw hefyd. Beth y'ch chi'n ei wneud? Neu a yw e'n gyfrinach?' ac fe wenodd unwaith eto.

'O nagyw, project hanes ar gyfer yr ysgol.'

Crychodd y dyn ei drwyn mewn cyd-ymdeimlad.

'O, na,' meddai Non, 'mae e'n ddiddorol iawn. Ry'n ni'n gwneud hanes Plas Alltlwyd.'

Syllodd y dyn arni. 'O?'

'Ie, do'n i ddim yn gwybod bod hanes mor ddiddorol i'r lle; ro'n i'n meddwl mai dim ond hen adfail o'dd e.'

'Hen adfail peryglus,' meddai'r dyn.

'Ddim mor beryglus â hynny. Fuon ni draw yno ddoe ac ro'dd . . . '

'Ddoe? Fuoch chi draw yno ddoe?'

'Do.'

Nodiodd Alun Morgan ei ben ac arllwys llaeth i mewn i'r mygiau cyn gofyn, 'Oedd mam Graham yn gwybod?'

'Dwi ddim yn siŵr,' atebodd Non, gan amau a fyddai gwrthwynebiad ei fam yn atal Graham rhag gwneud unrhyw beth.

'Dwi ddim yn credu y dylech chi fynd yno eto,' meddai Alun Morgan, gan gario'r botel laeth yn ôl i'r oergell. Symudodd Non o'r neilltu wrth iddo gerdded tuag ati. 'Mae hen adeiladau'n gallu bod yn beryglus iawn.'

Edrychodd Non arno heb ddweud gair, ond pan gaeodd ddrws yr oergell a throi tuag ati gallai synhwyro rhyw newid ynddo, ac roedd golwg benderfynol iawn yn ei lygaid.

'Fydd dim angen inni fynd yno eto, beth bynnag,' meddai Non, yn amharod i adael i'r dyn feddwl ei fod e'n gallu dweud wrthi beth y gallai ei wneud a ble y gallai fynd. 'Ry'n ni wedi cael popeth sydd ei eisie arnon ni ar gyfer y project.'

'Hoffen i weld y project ar ôl i chi orffen,' meddai Alun Morgan wedyn, gan wenu arni unwaith eto.

'Iawn,' meddai Non, gan gerdded at ddrws y gegin.

Cerddodd yn ei blaen i'r cyntedd gan deimlo'r blew mân ar ei gwar yn cosi fel petai llygaid Alun Morgan wedi eu serio arni. Ymladdodd yn erbyn y demtasiwn i grafu ci gwar a dringodd y grisiau'n fwriadol o araf. Dim ond ar ôl iddi gyrraedd ystafell Graham y dechreuodd anadlu'n rhwydd.

Pwysai Graham a Cai dros y cyfrifiadur a rhoddodd Non ddiodydd y ddau i lawr ar eu pwys.

'Graham,' meddai, gan agor ei chan. 'Pwy yw Alun Morgan?'

'Pwy?' meddai Graham, gan estyn am ei ddiod.

'Alun Morgan. Y dyn sy lawr grisiau.'

'O,' meddai Graham. 'Fe yw cyfreithiwr Mam. Maen nhw'n ystyried dechrau busnes gyda'i gilydd; dyna pam maen nhw yma'n gweithio heddi.'

'Ro'dd e'n holi fi am y project.'

Yfodd Graham a Cai eu diod yn dawel.

'Ac yn ein rhybuddio ni rhag mynd i Blas Alltlwyd.'

'O?'

'Pam?'

'Am ei fod yn rhy beryglus i blant bach fel ni.'

'Ti ddim o ddifri?' meddai Cai. 'Ddwedodd e hynny?'

'Naddo, ddim yr union eiriau, ond dyna shwd o'dd e'n swnio.'

'Dyw e ddim mor beryglus â hynny,' meddai Cai.

'Shwd o'dd e'n gwybod fod Plas Alltlwyd yn beryglus?' gofynnodd Graham. 'Ddwedodd e wrthot ti?'

'Naddo.'

'Falle'i fod e wedi bod i weld y plas rywbryd,' awgrymodd Cai.

'Dwi ddim yn credu,' meddai Graham gan siglo'i ben. 'Dwedodd e wrth Mam-gu pan gyrhaeddodd e nad o'dd e wedi bod i Flaencelyn erioed o'r blaen.'

PENNOD 20

Gorweddai Graham ar ei wely a'i feddwl yn troi a throi wrth i ffeithiau a delweddau am Blas Alltlwyd wibio a gweu trwy ei gilydd. Roedd y gwaith ysgrifennu wedi ei wncud a'r lluniau wedi eu gosod yn eu lle. Efallai y byddai angen ychydig o ad-drefnu, ail-leoli a thwtio eto cyn y byddai'n orffenedig, ond i bob pwrpas roedd y project wedi ei gwblhau. Ond ni allai Graham adael llonydd iddo.

Ar ôl i Cai a Non adael aethai at ei gêmau cyfrifiadur gyda'r bwriad o ymgolli'n llwyr mewn cyflafan waedlyd ddifeddwl, ond methodd. Fe'i cafodd hi'n anodd canolbwyntio, ac ni lwyddodd i orffen y lefel gyntaf heb gael ei ladd. A phan gollodd ei holl fywydau cyn cwblhau'r ail lefel – rhywbeth a wnâi yn hollol ddidrafferth fel arfer – collodd flas ar y gêm a diffoddodd y cyfrifiadur a chynnau'r teledu.

Ond methiant fu hynny hefyd. Trodd o'r naill sianel i'r llall nes i'r rhaglenni lifo i'w gilydd yn fôr o luniau a synau disynnwyr.

'Be sy'n bod arna i!' gwaeddodd, gan ddiffodd y teledu a'i daflu ei hun i lawr ar ei wely.

Ond fe wyddai'n iawn beth oedd yn bod arno, a beth oedd yn ei boeni: yr hyn roedd Seimon wedi'i ddweud am y frwydr rhwng da a drwg. Dyna oedd senario'r rhan fwyaf o'r gêmau roedd e'n eu chwarae. Ar y naill law roedd rhywun neu rywrai am reoli, meddiannu, dwyn, bomio, lladd, herwgipio, neu unrhyw amrywiad neu gyfuniad o'r rhain, ac ar y llaw arall roedd rhywun neu rywrai eraill yn eu gwrthwynebu. Y drwg yn erbyn y da. Y drwg yn bygwth ac yn ymosod, a'r da yn amddiffyn ac yn atal.

Dyna'r oedd Graham wedi tyfu i fyny'n ei chwarae ac yn ei fyw am oriau bwygilydd; dyna oedd ei fyd. Ond eto, fel roedd Seimon Morris wedi'i ddweud, petai rhywun yn dweud wrtho fod hynny'n digwydd go iawn, *bod* yna frwydr rhwng da a drwg yn digwydd o'i gwmpas, byddai wedi chwerthin am ei ben.

Pam?

Y 'pam' hwnnw oedd wedi bod yn ei boeni ers i Non a Cai adael, ac ar yr adegau prin hynny pan na fyddai'n meddwl amdano, fe fyddai Alun Morgan a'r sgwrs a gawsai â Non yn eu gwthio'u hunain i flaen ei feddwl. A rhwng y ddau, roedd meddwl Graham yn corddi ac yn cael ei dynnu i bob cyfeiriad.

Dim ond hanner dwsin o weithiau roedd Graham wedi cyfarfod ag Alun Morgan, ond nid oedd wedi cymryd ato. Roedd y dyn yn glên ac yn gyfeillgar bob tro, ond i Graham roedd yn rhy glên, yn rhy gyfeillgar. Doedd dim gwahaniaeth p'un ai yn siop ei fam yn y dref, neu pan oedd ar ei ben ei hun ar y stryd y byddai'r ddau yn cwrdd, roedd Alun Morgan wastad yn cofio'i enw, yn cofio'r hyn roedd yn ei hoffi, a phopeth roedd ef wedi sôn amdano y tro diwctha roedden nhw wedi siarad. Roedd hi'n union fel petai'r cyfan roedd Graham erioed wedi'i ddweud wrtho – hyd yn oed pethau roedd ef ei hun wedi eu hanghofio – wedi eu rhoi ar gof a chadw ganddo.

Pan oedd Graham wedi dweud hynny wrth ei fam, roedd hi wedi chwerthin a dweud mai ffordd Alun Morgan o wneud iddo deimlo'n gyfforddus ydoedd; mai dyna beth oedd dynion busnes da yn ei wneud. Ond roedd bod yng nghwmni Alun Morgan yn gwneud i Graham deimlo'n hollol anghyfforddus, a nawr roedd ei rybudd i Non i gadw draw o Blas Alltlwyd wedi dwysáu'r teimlad hwnnw.

Ai dyna'r cyfan roedd ef wedi'i ddweud wrthi? Neu a oedd yna rywbeth arall, rhywbeth nad oedd Non wedi ei ddweud, neu wedi ei anghofio? Roedd yn rhaid iddo wybod.

Edrychodd ar ei wats. Deng munud i naw.

Cododd o'r gwely a gadael yr ystafell. Disgynnodd y grisiau i'r cyntedd dair gris ar y tro. Nid oedd ei dad wedi dod adref o'r gwaith eto, ac er bod Alun Morgan wedi gadael ers oriau, roedd ei fam yn dal yn brysur yn y stydi.

'Dwi'n mynd i dŷ Non,' galwodd arni drwy'r drws cilagored.

'Iawn. Paid bod yn hwyr,' atebodd hi'n fecanyddol heb godi ei phen o'r papurau o'i blaen.

Roedd hi'n noson gynnes, ac er ei bod hi'n dechrau tywyllu roedd yr awyr yn dal yn olau uwchben amlinelliad tywyll Carn Emrys. Prysurodd Graham i fyny'r ffordd, ei gerddediad yn cyflymu bob cam nes ei fod yn rhedeg erbyn iddo gyrraedd ystad Maes Helyg.

Canodd y gloch a phwyso yn erbyn wal y tŷ gan anadlu'n drwm.

'Graham!' meddai mam Non yn syn pan agorodd y drws a'i weld yno'n llowcio'i wynt. 'Wyt ti'n iawn?'

Nodiodd Graham. 'Ydw. Ydi Non yma?'

'Ydi, dere mewn.'

Siglodd Graham ei ben. 'Na, allwch chi ofyn iddi ddod mas, os gwelwch yn dda?'

'O'r gore,' a syllodd mam Non yn bryderus arno am eiliad cyn troi'n ôl am y gegin. Hanner munud yn ddiweddarach ymddangosodd Non.

'Helô,' meddai, gan edrych ar Graham â'r un

olwg bryderus a fu ar wyneb ei mam.

'Dere 'ma,' gorchmynnodd Graham.

'Pam? Be sy'n bod?'

'Ddim fan hyn,' a dechreuodd Graham gerdded i fyny llwybr y tŷ i'r ffordd fawr. Dilynodd Non ef, a phan gyrhaeddodd y ddau glwyd yr ardd trodd Graham ati a gofyn, 'Beth yn hollol ddwedodd Alun Morgan wrthyt ti prynhawn 'ma?'

'Dwi wedi dweud wrthyt ti unwaith.'

'Dwed wrtha i unwaith eto.'

Ochneidiodd Non. 'Wel, gofynnodd e beth o'n ni'n ei wneud, a phan ddwedes i ein bod ni'n gwneud project ar Blas Alltlwyd aeth e'n dawel iawn. Wedyn, pan ddwedes i ein bod ni wedi bod yno ddoe ro'dd e'n ymddwyn fel petawn i wedi dweud ein bod ni wedi . . . wel, wedi rhoi'r lle ar dân neu rywbeth.'

'A dyna pryd ddwedodd e wrthyt ti fod y lle'n beryglus?'

'Ie . . . Nage!'

'Be?'

'Nage,' cywirodd Non ei hun. 'Dwedodd e fod Plas Alltlwyd yn hen adfail peryglus ar ôl i fi ddweud ein bod ni'n gwneud y project a'i fod e'n ddiddorol iawn. Ond ar ôl i fi ddweud ein bod ni wedi bod yno ddoe y dywedodd e nad o'dd e'n credu ei fod yn syniad da i ni fynd yno eto a . . . '

'Ie?'

'Wel, falle 'mod i'n anghywir, ond ro'dd hi fel petai'r ffaith i ni fod yno ddoe yn ei boeni e'n fwy na bod y lle'n beryglus.'

'O? Pam hynny?'

'Falle am mai dyna pryd ddaeth e i wybod ein bod ni wedi bod yno,' cynigiodd Non.

Ond doedd Graham ddim mor siŵr. Cerddodd y ddau yn eu blaen allan o ystad Maes Helyg ac ar hyd y ffordd fawr i gyfeiriad sgwâr y pentref.

'Falle mai'r ffaith mai *ddoe* ro'n ni wedi bod yno o'dd yn bwysig,' meddai Graham.

'Ond beth ddigwyddodd ddoe?' gofynnodd Non.

'Aethon ni i Blas Alltlwyd.'

'Ie, dwi'n gwybod hynny ond . . . '

Edrychodd y ddau ar ei gilydd a dweud ag un llais:

'Aeth Alice James yno ddoe hefyd.'

'Ond be sy gyda hynny i'w wneud ag Alun Morgan?' gofynnodd Graham.

'Dwi ddim yn gwybod. Does 'da fi ddim syniad beth sy . . . '

'Hisht!' gorchmynnodd Graham yn sydyn, gan gydio ym mraich Non a'i thynnu i gysgod wal y tŷ agosaf.

'Beth . . . ?'

'Edrych.'

Syllodd Non i fyny'r ffordd a gweld

amlinelliad tywyll yn croesi ryw bymtheng metr o'u blaen.

'Alice James,' meddai Graham yn dawel yn ei chlust. 'Tybed ble mae'n mynd?'

Tynnodd Non ei hun yn rhydd o afael Graham. 'Lawr heibio'r siop ac at y llwybr cyhoeddus.'

'Sy'n arwain i?'

'Sawl lle,' meddai Non, gan geisio cofio i ble'r oedd y clytwaith o lwybrau i gyd yn arwain.

'Gan gynnwys Plas Alltlwyd,' meddai Graham.

'Ti'n iawn!' meddai Non gan gamu allan i ganol y ffordd. 'Allwn ni ei dilyn hi i weld beth mae hi'n ei wneud yno.'

'Na,' meddai Graham gan gydio yn ei braich unwaith eto. 'Mae gyda fi well syniad.'

PENNOD 21

'Nos da.'

'Nos da. Cai?'

'Ie?'

'Nos da.'

'Nos da!'

'Nos da. Cai?'

Ond y tro yma nid atebodd Cai. Petai'n ateb eto fe allai fod yno am ddeng munud arall yn dymuno nos da i Dyfan. Fe ddylai ei frawd bach fod yn cysgu ers oriau, ond rhwng y gwres a diffyg trefn ei fam, roedd hi'n llawer llai o drafferth i adael iddo'i flino'i hun yn lle ei orfodi i aros yn y gwely.

Cerddodd Cai yn dawel i lawr y grisiau pren noeth a sŵn Seran yn tacluso'r gegin yn codi i'w gyfarfod. Roedd ei fam yn dal i beintio ac fe allai fod ar ei thraed am oriau eto. Dylyfodd ên; roedd e wedi blino ond fe fyddai'n rhaid iddo wneud yn siŵr fod pawb arall yn iawn cyn y gallai feddwl am fynd i'w wely.

'Wyt ti eisie help?' gofynnodd i Seran, a oedd

yn gosod y llestri swper yn ôl ar y silff agored uwchben y bwrdd.

'Na, ond alli di fynd i gau'r ieir yn y cwb, os wyt ti moyn.'

'Ro'n i'n meddwl bod Dyfan wedi gwneud hynny.'

'Dechreuodd e ond welodd e froga ar y llwybr ac anghofio popeth am yr ieir.'

Ochneidiodd Cai a mynd allan i'r ardd gefn.

Wrth iddo gerdded i fyny llwybr yr ardd hedfanodd ystlum herciog heibio'i ben, a chrensiodd malwoden dan ei droed. Gwthiodd ochr y cwb ieir ar agor gan ysgubo'r dom a'r grawn oedd ar y llawr naill ochr a gweld yng ngolau'r lleuad fod yr ieir wedi clwydo. Tynnodd yr ochr ynghau a gollwng y drws bychan i'w le dros nos.

Trodd ac edrych o'i gwmpas. Roedd canghennau a brigau'r coed oedd yn tyfu ar hyd clawdd yr ardd yn edrych fel gwythiennau yn erbyn yr awyr. Dringodd i ben y clawdd, camu i do'r cwb ieir a gorwedd ar ei gefn gan edrych i fyny ar y sêr yn y ffurfafen.

Er pan oedd yn fachgen bach roedd wedi mwynhau gorwedd yno yn nhywyllwch a thawelwch yr ardd gefn yn syllu i'r gofod, ac ar ôl iddo ddechrau darllen llyfrau ffantasi a ffuglen wyddonol roedd wrth ei fodd yn dychmygu sut fath o fywyd oedd ar y planedau eraill oedd allan yno. Oedd y bobl rywbeth yn debyg i'r cymeriadau yn y llyfrau? Oedden nhw'n byw ar wyneb eu planedau neu ynghudd o dan yr wyneb? Oedden nhw'n gallu teithio i blanedau eraill? Oedden nhw'n gwybod am y ddaear a'r bobl oedd yn byw arni? Ac a oedd yn eu plith fachgen bach oedd yn dyheu am weld ei dad? Neu a oedd yno ddim byd ond tywyllwch a thawelwch?

Safodd ar ei draed.

Breuddwydion a dyheadau plentyn bach oedd y rheini. Doedd dim byd gwahanol i'w gael ar blanedau eraill; gwyddai hynny nawr. Dim byd gwahanol i'r hyn oedd ym Mlaencelyn.

Edrychodd Cai o'i gwmpas. Doedd dim byd ond tywyllwch a thawelwch yno.

Tywyllwch a thawelwch. Dim byd . . .

Synhwyrodd ryw symudiad yng nghornel ei lygad. Trodd ei ben a gweld cysgod yn symud ar draws y cae yr ochr arall i'r clawdd. Buwch, meddyliodd, ond yna cyfarwyddodd ei lygaid â'r pellter. Nage, person oedd e. Roedd rhywun yn cerdded ar frys drwy ganol y cae. Plygodd Cai a syllu'n galed drwy ganghennau'r goeden ar y ffigwr a'i adnabod.

'I ble mae hi'n mynd?' gofynnodd iddo'i hun, a chael yr ateb yr un eiliad. 'Plas Alltlwyd!'

Neidiodd i lawr o ben y cwb ieir yn dawel a rhedeg ar flaenau ei draed i'r tŷ.

'Seran! Seran!'

'Ie?' galwodd ei chwaer yn gysglyd o'r ystafell fyw.

'Dwi'n mynd mas. Fydda i ddim yn hir.'

A heb aros am ateb, diflannodd Cai i'r tywyllwch.

PENNOD 22

'Na, ffordd hyn,' sibrydodd Non. 'Mae bwlch yn y clawdd gyferbyn â drws y cefn.'

'Wyt ti'n siŵr?'

'Drycha, fe ddylen i wybod fy ffordd o gwmpas Tyddyn Gwyn.'

'Iawn,' ildiodd Graham, a'i dilyn.

Cripiodd y ddau ymlaen hyd ymyl y clawdd, eu traed yn siffrwd drwy'r gwair hir, a'r gwlith yn gwlychu eu hesgidiau a godre'u trowseri.

'Dyma fe,' a gwthiodd Non drwy'r bwlch.

Dilynodd Graham hi a sefyll yn ei hymyl yng ngardd gefn Tyddyn Gwyn.

Syniad Graham oedd mynd yno yn lle dilyn Alice James, ac er bod Non wedi cytuno, nid oedd yn siŵr iawn beth oedden nhw'n ei wneud yno.

'Tria'r drws,' sibrydodd Graham yn ei chlust.

'Beth? Dwyt ti ddim yn mynd i fynd mewn?'

'Pam arall y'n ni yma?'

'Wel . . . '

'Tria fe. Falle'i bod hi wedi ei adael ar agor.'

'Paid siarad dwli,' meddai Non, gan gydio yn y ddolen. 'Pwy fydde'n ddigon twp i adael . . . O!'

Agorodd y drws yn rhwydd ac edrychodd Non ar Graham.

'Cer di gynta,' meddai Graham wrthi.

Syllodd Non yn galed arno.

'Ti o'dd yn arfer byw yma, ddim fi,' meddai Graham heb arlliw o gywilydd.

Llifai pelydrau'r lleuad drwy ffenest y gegin gan oleuo'r ystafell gyfan. Roedd hi ychydig yn fwy taclus na phan fu Non yno ddiwethaf, a llai o focsys a llestri o gwmpas y lle. Ond gan fod mwy o drefn i'r ystafell, fe edrychai'n fwy dieithr iddi. Cerddodd Non drwyddi'n gyflym ac allan i'r cyntedd.

'I ble?' gofynnodd, fel petai'n gorfod gofyn caniatâd.

'Tria'r stafell fyw.'

Agorodd Non y drws ar ei chwith a cherdded drwyddo. Yma eto roedd popeth yn ddieithr, ac roedd y cypyrddau a'r cadeiriau wedi eu gosod mewn llefydd gwahanol. Yn y llefydd anghywir, yn ôl llygaid Non.

Roedd nifer o'r cerfluniau rhyfedd, hyll roedd hi wedi eu gweld y tu allan i'r tŷ, ar ben y cypyrddau a'r silff ben tân, ac ar y waliau roedd darluniau lliwgar mawr o dderwyddon, Indiaid Cochion ac anifeiliaid ffantasïol. Roedd popeth wedi newid; nid ei chartref hi oedd Tyddyn

Gwyn bellach. Roedd y gwahaniad wedi ei wneud. Teimlai'n anghyfforddus. Crynodd, a sigodd ei hysgwyddau, ond ni allai gael gwared â'r teimlad oedd yno yn gwasgu'n annifyr, fel carreg mewn esgid.

'Beth wyt ti'n meddwl yw hwn?' gofynnodd Graham.

'Beth?'

'Hwn, fan hyn.'

Stwriodd Non ei hun a mynd i sefyll yn ei ymyl ar bwys y bwrdd oedd o flaen y ffenest.

'Map o ardal Blaencelyn yw e,' meddai Graham. 'Ond beth ar ddaear yw'r holl linellau hyn?'

'Dwi ddim yn gwybod,' meddai Non, gan syllu ar y map a dilyn un o'r llinellau â'i bys.

'Pen Castell . . . Lluest Feudwy . . . Rhos Garthen Goch . . . Eisteddfa Eithinog . . . Falle'i bod hi'n mynd i drefnu teithiau cerdded o gwmpas Blaencelyn,' awgrymodd Non.

'Lan a lawr bob bryn a mynydd yn yr ardal? Bydd pawb wedi marw cyn cyrraedd y diwedd. Ac edrych, ddim Blaencelyn yw'r diwedd. Mae hi wedi tynnu cylch o gwmpas Carn Emrys, ac mae pob llinell yn arwain i fan'na.'

Siglodd Non ei phen. 'Falle'i bod hi'n mynd i agor caffi yno.'

'Paid â rwdlan. Caffi ar ben Carn Emrys! Beth nesa? Archfarchnad ar Gors Llechfryn?'

'Wel dwi ddim yn gwybod!' cyfarthodd Non eto, yn grac gyda Graham am wneud hwyl am ei phen. 'Oes gyda ti awgrym gwell? Awgrym gwell na dy syniad i ddod yma yn y lle cynta, gobeithio! Mae'n siŵr ein bod ni'n torri'r gyfraith. Os daw Alice James 'nôl nawr a'n dal ni . . . '

'Paid â bod yn gymaint o fabi. Ti ddwedodd ei bod hi'n berson rhyfedd, a'i bod hi'n gwneud pethau rhyfedd.'

'Ie, wel, mae'r lle 'ma'n dechrau llenwi â phobl ryfedd, os wyt ti'n gofyn i fi.'

'Bydd un yn llai yma mewn munud,' meddai Graham yn bigog, gan wthio heibio iddi.

Crash!

'Beth wyt ti wedi'i wneud?'

'Dim byd,' protestiodd Graham, gan rwbio'i ochr. 'Ddim fi roddodd y bocs 'na ar ymyl y gadair.'

'Wyt ti wedi torri rhywbeth?'

'Nadw,' mynnodd Graham yn bendant, cyn ychwanegu'n llai sicr, 'Wel, dwi ddim yn meddwl.'

Plygodd ac edrych ar gynnwys y bocs. 'Na, mae'n iawn. Dim ond llyfrau sy ynddo fe.'

'Well i ti ei roi e 'nôl ar y gadair neu bydd hi'n siŵr o sylwi ei fod e wedi symud.'

Cydiodd Graham yn y llyfrau oedd wedi llifo ar draws y llawr a'u gwthio rywsut rywsut yn ôl i'r bocs.

'Gobeithio nad o'n nhw mewn trefn arbennig,' meddai Non.

'Fydd hi ddim callach, ac os bydd – hei, edrych!'

'Ar beth?'

Daliodd Graham gopi o *Hanes Blaencelyn a Herbertiaid Plas Alltlwyd* gan J. Llewelyn Thomas i fyny.

'Dwedodd Seimon fod hwnna'n llyfr prin iawn,' meddai Non.

'Wel, mae copi gyda Alice James, beth bynnag. Wyt ti'n meddwl . . . ?'

'Hisht!'

'Beth?'

'Glywest ti fe?'

'Clywed beth?'

'Y sŵn yna.'

'Pa sŵn? Mae dy . . . '

'Hisht!'

A'r tro hwn fe glywodd Graham ef hefyd. Rhyw sŵn crynu isel.

'Beth yw e?' gofynnodd Graham. 'Car?'

Siglodd Non ei phen. 'Nage. Clyw. Mae e'n dod o lan llofft.'

'Lan llofft? Ond . . . '

Clywodd y ddau y sŵn eto, ond y tro hwn deuai o'r ddaear o'u cwmpas. Lledai drwy sylfeini'r adeilad cyn codi'n araf drwy eu traed i'w coesau, i fêr eu hesgyrn, i gelloedd eu croen, i wreiddiau eu gwallt, a'u gadael yn oer, oer.

'D . . . d . . . ere,' sibrydodd Graham a'i ddannedd yn clecian.

Nodiodd Non. 'Ia . . . a . . . awn,' a rhewodd ei hanadl yn gwmwl caled o flaen ei llygaid. Tynnodd ei llaw ar draws ei hysgwydd noeth a theimlo'r croen gŵydd fel brech ar hyd ei braich.

'Gl . . . ou!' meddai, gan roi ei llaw ar gefn Graham. Sgrechiai ei hymennydd arni i brysuro ac i ddianc o'r ystafell, ond ni allai ei stwrio'i hun i symud. Llusgai ei thraed yn araf ar draws y llawr fel rhywun mewn breuddwyd. Simsanodd Graham yn feddw o'i blaen, gan hanner troi i wneud yn siŵr ei bod hi'n ei ddilyn, ac ar yr un pryd estynnodd ei law am y drws ac ymbalfalu am y ddolen.

Teimlai Non ei llygaid yn trymhau a niwlen yn cau o'i chwmpas. Ceisiodd godi ei dwylo i'w chwifio i ffwrdd, ond doedd ganddi ddim nerth. Gwegiodd ar ei choesau sigledig a tharo yn erbyn Graham. Estynnodd ef ei law allan a'i thynnu tuag ato.

Baglodd y ddau drwy'r drws ac allan i'r cyntedd, ond roedd yr awyrgylch iasoer a'r llesgedd gormesol i'w teimlo yno hefyd. Roedd popeth wedi arafu gan wneud symud a hyd yn oed anadlu yn ymdrech. Golchodd ton o flinder dros Non fel na allai feddwl am ddim ond gorwedd a chysgu. Ceisiodd ei thynnu ei hun yn rhydd o afael Graham, ond roedd yn cydio'n dynn ynddi ac fe gafodd ei llusgo ymlaen ar ei ôl.

Siglai ei phen yn afreolus o'r naill ochr i'r llall a dawnsiai'r tŷ yn herciog o flaen ei llygaid pŵl. Yna disgynnodd ei phen yn llipa ar ei hysgwydd cyn adlamu i fyny eto, ac yn yr eiliad sydyn honno gwelodd Non ffigwr tywyll yn sefyll ar ben y grisiau, ei amlinelliad yn glir yng ngolau'r lleuad a lifai drwy ffenest y landin y tu ôl iddo. Ond nid y golau a wnâi'r ffigwr yn dywyll. Roedd ei dywyllwch yn ddyfnach o lawer na hynny; roedd yn dod ohono ef ei hun ac roedd yn ddudew, yn ddiwaelod, yn ddiddiwedd.

Disgynnodd ei phen eto a chollodd olwg ar y ffigwr. Ceisiodd droi i edrych arno ond allai hi ddim. Y cyfan a allai ei wneud oedd dilyn Graham wrth iddo'i harwain a'i llusgo ar hyd y cyntedd i'r gegin ac allan drwy ddrws y cefn. Trawodd yr awyr iach ei hwyneb fel ergyd a disgynnodd yn llipa i'r llawr gan lowcio'r awyr iach yn awchus; llifai i'w hysgyfaint fel gwaed newydd drwy wythiennau.

PENNOD 23

Cadwai Cai tua ugain metr y tu ôl i Alice James wrth iddi gerdded ar hyd y llwybr cyhoeddus, ond cymcrai hi gyn lleied o sylw o'r hyn oedd o'i chwmpas fel y gallai fod yn cerdded yn ci hymyl. Cerddai'n syth yn ei blaen heb edrych i'r dde nac i'r chwith unwaith, ac roedd Cai yn siŵr ei bod yn gwneud ei ffordd i Blas Alltlwyd. Yn wir, roedd mor siŵr o hynny fel y gallai fod wedi rhoi'r gorau i'w dilyn a thorri ar draws y caeau i gyrraedd yno o'i blaen. Ond nid oedd am wneud hynny; nid oedd am ei gadael allan o'i olwg am eiliad. Ddoe roedd Non wedi ei gweld hi'n crwydro o gwmpas yr adfail, ond erbyn iddyn nhw gyrraedd y plas roedd hi wedi diflannu. Nid oedd Cai am i hynny ddigwydd eto.

Lledai'r llwyni rhododendron gwyllt yn drwchus bob ochr i'r llwybr a chyflymodd Cai er mwyn cadw Alice James mewn golwg. Camodd heibio i lwyn mawr a gweld cwningen oedd wedi ymlwybro'n ddifeddwl allan o'r drysni o'i flaen. Synhwyrodd hi ei bresenoldeb a dechrau sgrialu igam-ogam ar hyd y llwybr i gyfeiriad Alice James. Arhosodd Cai a gwasgu'n agosach i'r ochr rhag ofn y byddai hi'n clywed y gwningen yn rhedeg tuag ati ac yn troi i edrych yn ôl.

Rhedodd y gwningen ymlaen, yn fwy effro i'r perygl oedd y tu ôl iddi na'r perygl oedd o'i blaen, ac roedd o fewn metr i Alice James pan gafodd ei thaflu i fyny a'i throi sawl gwaith yn yr awyr cyn disgyn yn llonydd i'r llawr. Cerddodd Alice James yn ei blaen heb ddangos yr arwydd lleiaf ei bod yn ymwybodol o'r hyn oedd wedi digwydd y tu ôl iddi.

Cripiodd Cai ymlaen at y gwningen yn ofalus a phlygu'n betrusgar yn ei hymyl. Cydiodd mewn brigyn a'i gwthio'n dyner gan obeithio'i gweld yn neidio i fyny'n fyw. Ond nid oedd arwydd o fywyd ynddi, a gwyddai Cai, a oedd yn gyfarwydd â gweld anifeiliaid wedi trigo yn y caeau o gwmpas ei gartref, ei bod hi'n farw.

Cydiodd ynddi a'i theimlo'n llipa fel maneg yn ei law. Nid oedd yr un asgwrn caled, cyfan i'w deimlo yn ei chorff. Beth bynnag oedd wedi ei ladd, roedd hefyd wedi malu ei hesgyrn yn flawd mân.

Syllodd Cai arni gan geisio gwneud synnwyr o'r hyn roedd e wedi ei weld. Gallai dyngu bod y gwningen wedi taro yn erbyn rhywbeth cadarn a di-ildio, ond beth? Nid oedd Alice James wedi gwneud dim. Nid oedd hi hyd yn oed yn ymddangos fel petai'n gwybod fod y gwningen yno. Ond eto roedd rhywbeth wedi ei lladd. A beth bynnag oedd y 'rhywbeth' hwnnw, os oedd yn ymwybodol o bresenoldeb y gwningen, a oedd e hefyd yn ymwybodol o bresenoldeb Cai?

Edrychodd Cai ar hyd y llwybr o'i flaen, ond roedd Alice James wedi hen ddiflannu. Cariodd y gwningen i ymyl y llwybr a rhoi'r chorff bychan o dan y drysni a'i guddio â gwair a mân frigau.

Roedd hyn yn newid popeth. Nid gêm, nid rhyw antur dal-y-dihirod, oedd hi bellach. Roedd pwerau nerthol iawn ar waith, pwerau nad oedd ganddo ef y syniad lleiaf beth oedden nhw, ac er ei fod wedi darllen digon o nofelau ffuglen wyddonol a ffantasi lle'r oedd pwerau o bob math yn ddigon cyffredin, roedd hyn yn wahanol. Storïau, ffuglen, dychmygol oedd y rheini i gyd, ond roedd hyn yn real; roedd hyn yn digwydd iddo ef.

Tywysogaethau'r tywyllwch roedd Seimon wedi eu galw, a gwyddai Cai bellach beth roedd e'n ei feddwl. Crynodd, a lledodd chwys oer ar draws ei gefn. Fe ddylai droi am adre a dianc tra bo cyfle ganddo; dyna fyddai'r peth synhwyrol a chall i'w wneud. Ond yn groes i bob rheswm a synnwyr, camodd Cai yn ôl i ganol y llwybr a bwrw ar ôl Alice James.

Erbyn iddi ddod o fewn golwg, roedd Alice James wedi cyrraedd diwedd y llwybr cyhoeddus ac yn cerdded ar draws y cae agored tuag at adfail Plas Alltlwyd. Cadwodd Cai yng nghysgod y coed a amgylchynai'r plasty nes iddo gyrraedd y cefn, ac yna rhedodd mor dawel ag y gallai ar draws y deg metr o dir at yr adeilad.

Pwysodd yn erbyn y mur a'i wynt yn ei ddwrn a churiadau ei galon yn gwneud iddo grynu drwyddo. Ar yr ochr arall i'r mur gallai glywed Alice James yn glir, yn cerdded drwy'r drysni a'r cerrig mân a orweddai'n garped trwchus ar lawr yr adeilad. Arhosodd Cai yn llonydd lle'r oedd gan wrando ar yr holl sŵn roedd hi'n ei wneud. Penderfynodd y byddai'n hawdd ei dilyn a darganfod beth roedd hi'n ei wneud yno. Rhifodd i ddeg ac yna sleifiodd i mewn ar ei hôl drwy fwlch mawr yn y wal lle bu unwaith ffenest uchel, lydan.

Ymwthiai llafnau'r lleuad lawn drwy dyllau yn y muriau gan daflu clytwaith o gysgodion ar lawr yr ystafell eang. Cerddodd Cai'n bwyllog gam wrth gam, gan gymryd gofal mawr ymhle roedd yn rhoi ei draed rhag ofn iddo faglu a thynnu sylw ato'i hun. Arhosodd ger bwlch yn y wal lle bu drws yr ystafell a gwrando; rywle yn y cysgodion o'i flaen clywodd sŵn traed yn sgathru a cherrig yn rowlio. Dilynodd y sŵn yn ofalus o ystafell i ystafell, gan oedi bob hyn a hyn i wrando cyn mynd yn ei flaen.

Camodd allan o ystafell arall a'i gael ei hun mewn coridor hir a chul. Arhosodd a gwrando eto, ond y tro hwn roedd pobman yn dawel. Cerddodd ar hyd y coridor yn araf, gan aros bob yn ail gam a chlustfeinio, ond nid oedd dim i'w glywed ond y distawrwydd.

Ble'r oedd hi? Un eiliad roedd e'n ei chlywed yn glir, a'r eiliad nesaf doedd yno ddim ond tawelwch. Rhuthrodd i ben draw'r coridor gan syllu'n frysiog drwy agoriadau'r ystafelloedd ar y ffordd, ond nid oedd Alice James i'w gweld yn unman.

Roedd hi wedi diflannu unwaith eto.

PENNOD 24

Cododd Non ar ei thraed. 'Ooo,' cwynodd gan ddal ei phen. Atseiniai fel sosban wag ac roedd yn dal i droi a'i gwneud yn benysgafn.

'Wyt ti'n iawn?' gofynnodd Graham, gan ei wthio'i hun i fyny o'r llawr.

Dechreuodd Non nodio'i phen a sylweddoli'n syth mai dyna'r peth diwethaf y dylai ei wneud. 'Ydw,' meddai mewn llais main, bregus.

'Beth ar y ddaear o'dd hwnna?' meddai Graham, gan dynnu ei law ar draws ei war. Teimlai'n dynn ac yn dyner iawn.

'Dim syniad,' meddai Non, a rhwbiodd ei breichiau er mwyn i'r gwaed lifo'n gyflymach a'i chynhesu.

'Ddim rhywbeth adawoch chi yn y tŷ o'dd e?'

'Ni? Pam wyt ti'n meddwl fod gyda ni rywbeth i'w wneud ag e?'

Arweiniodd Graham y ffordd yn sigledig drwy'r bwlch yn y clawdd a dilynodd Non ef gan ddal i fagu ei phen.

Edrychodd Graham yn ôl dros ei ysgwydd ar

Dyddyn Gwyn. 'Mae'n rhaid mai rhyw system atal lladron mae Alice James wedi ei gosod yno o'dd e, 'te.'

'Beth wyt ti'n feddwl, system atal lladron?'

'Rhywbeth sy'n effeithio ar y system nerfol ac yn drysu pobl fel nad y'n nhw'n gallu'u rheoli'u hunain. Mae'n rhaid i fi gyfadde ei bod hi'n un dda. Falle bydd gyda Dad ddiddordeb ynddi; bydde lot o bobl yn hoffi cael system debyg yn eu tai. Sdim rhyfedd bod Alice James wedi gadael y drws ar agor; os oes rhywbeth fel'na gyda ti, dyw lladron ddim yn mynd i fod yn broblem.' Chwarddodd Graham a theimlo'i war unwaith eto.

'Welest ti mohono fe?' gofynnodd Non wrth iddyn nhw gyrraedd pen pella'r cae a dringo allan dros y glwyd i'r ffordd fawr.

'Gweld pwy?'

'Y ffigwr ar ben y grisiau.'

'Ffigwr? Pa ffigwr? Ro'dd y lle'n wag.'

'Ro'dd rhywun yna; weles i fe.'

'Am beth wyt ti'n sôn? Do'dd neb yna. Welon ni Alice James yn gadael a does neb yn byw gyda hi yn Tyddyn Gwyn.'

'Ro'dd rhywun yn y tŷ!' mynnodd Non. 'Does gen i ddim syniad pwy o'dd e na beth o'dd e'n ei wneud yna, ond pwy bynnag o'dd e, fe o'dd yn gyfrifol am yr hyn ddigwyddodd i ni, ddim rhyw declyn atal lladron!'

Chwarddodd Graham. 'Cer o 'ma, dim ond ti a fi . . . '

'Ro'dd rhywun yna, Graham!' poerodd Non gyda'r fath bendantrwydd fel y gwyddai Graham nad oedd pwynt iddo ddadlau â hi. Edrychodd arni'n dawel, yn ansicr beth i'w ddweud neu ei wneud nesaf.

Beth oedd yn digwydd i bawb? Pobl yn ymddwyn yn rhyfedd, yn gweld ac yn clywed pethau rhyfedd: roedd Blaencelyn yn ferw gwyllt o rywbeth. Ond beth?

'Dwi am fynd i weld Cai,' meddai Non yn sydyn, gan ddechrau cerdded i ffwrdd. 'Bydd e'n fy nghredu i.'

'Non!' galwodd Graham ar ei hôl. 'Non!'

Ond ni chymerodd hi'r sylw lleiaf ohono, dim ond brasgamu ar hyd y ffordd i gyfeiriad cartref Cai.

'O, bl . . . blwyddyn newydd dda!' meddai Graham wrtho'i hun, gan redeg ar ei hôl a galw arni, 'Non! Aros, dwi'n dod gyda ti.'

Roedd Seran yn dal ar ei thraed pan gyrhaeddodd y ddau dŷ Cai.

'Dyw e ddim yma,' meddai, gan syllu arnyn nhw drwy lygaid blinedig. 'Mae e wedi mynd mas i rywle.'

'Wyt ti'n gwybod i ble?' gofynnodd Non.

Siglodd Seran ei phen a dylyfu gên. 'Ddwedodd e ddim. Y cwbl ddwedodd e o'dd ei fod yn mynd mas ac na fyddai'n hir. A bant ag e cyn i fi gael cyfle i ddweud na gofyn dim.'

'Pryd o'dd hynny?'

'Rhyw hanner awr, tri chwarter awr 'nôl.'

'Falle'i fod e wedi mynd i weld Seimon,' awgrymodd Graham.

Cododd Seran ei hysgwyddau a dylyfu gên unwaith eto.

'Beth wyt ti'n meddwl, Non?'

'Falle,' ond doedd hi ddim wir yn credu hynny. Os mai wedi mynd i weld Seimon Morris oedd e, roedd Non yn siŵr y byddai wedi dweud hynny wrth Seran. Roedd hi'n amlwg bod Cai wedi rhuthro allan i rywle ar frys, ond i ble? A pam? A oedd e wedi gweld Alice James? Roedd y llwybr cyhoeddus i Blas Alltlwyd yn torri drwy'r cae nesaf at y tŷ; efallai ei fod e wedi ei gweld hi'n cerdded ar hyd y llwybr ac wedi ei dilyn.

'Oes rhywbeth yn bod?' gofynnodd Seran.

'Nagoes,' meddai Non, gan gymryd hanner cam yn ôl o'r drws. 'Dim ond eisie trafod rhywbeth am y project o'n ni,' ac fe gydiodd ym mraich Graham a'i dynnu ar ei hôl. 'Dwed wrtho fe y gwelwn i fe fory, iawn?'

'Iawn,' meddai Seran, gan edrych yn amheus ar y ddau. 'Chi'n siŵr nad oes dim byd yn bod?'

'Ydyn,' meddai Non, gan obeithio'i bod hi'n dweud y gwir.

PENNOD 25

Baglodd Cai ar draws y domen gerrig a sgathru ei ben-glin a chledr ei law.

Ble ar y ddaear allai hi fod? Roedd wedi chwilio ym mhob twll a chornel o'r plasty y gallai eu cyrraedd ond heb weld ei hôl na'i chysgod yn unman. Doedd dim amheuaeth o gwbl; roedd Alice James wedi diflannu!

Ond roedd hynny'n amhosibl, meddai wrtho'i hun, gan droi yn ei unfan ar ganol neuadd fawr y plasty. Dyw pobl ddim yn gallu diflannu. Dyw cig a gwaed ddim yn gallu datgymalu a diflannu fel rhyw gymeriad picsel mewn ffilm neu dwyll tric consuriwr. Rhaid bod Alice James yn dal yno yn rhywle.

Ond ymhle?

Cerddodd Cai yn araf o gwmpas y neuadd, ei lygaid yn gwibio'n ôl ac ymlaen o gornel i gornel ac o gysgod i gysgod yn chwilio am yr arwydd lleiaf o'i phresenoldeb. Ond doedd yna ddim. Gadawodd y neuadd a cherdded ar hyd coridor cul a arweiniai i gefn yr adeilad, ond doedd dim byd yno chwaith, dim byd ond llwch a chwyn a cherrig a drain a . . .

Beth yw . . . ?

Arhosodd. Cymerodd gam yn ôl a syllu drwy'r cysgodion. Roedd yn gyfarwydd â'r olygfa i ben pella'r coridor bychan lle'r oedd olion grisiau ar y wal yn ymestyn i fyny i'r llawr nesaf. Roedd wedi bod fan hyn ddoe, ac roedd Graham wedi tynnu llun ohono hefyd. Oedd, roedd yr olygfa'n gyfarwydd, ond eto roedd rhywbeth yn wahanol amdani. Doedd y wal dim yn edrych yn iawn, rywsut.

Cerddodd Cai tuag ati a thynnu ei law drosti. Roedd arni ddwsinau o dyllau a phantiau lle'r oedd plaster a cherrig wedi syrthio. Symudodd yn nes at y cornel a'r troad i mewn i'r coridor a'i dilyn â'i law yr holl ffordd i lawr i'r gwaelod. A dyna pryd y sylwodd fod rhywfaint o'r cerrig mân a'r coedach ar y llawr wedi eu clirio naill ochr, yn union fel petai rhywun wedi eu sgubo i ffwrdd â brws – neu bod drws wedi eu gwthio o'r neilltu wrth iddo agor!

Rhedodd Cai ei law ar hyd ymyl y wal a theimlo hollt cul. Gwthiodd ei fysedd i mewn iddo a thynnu. Lledodd yr hollt ychydig ond roedd yn gyndyn iawn i agor yn llwyr. Cliriodd Cai ragor o'r cerrig a'r sbwriel oedd ar y llawr â'i droed cyn gwthio'i fysedd i'r hollt unwaith eto a thynnu.

Teimlai gyhyrau ei freichiau a'i gefn yn tynhau ond daliodd i dynnu â'i holl nerth, ac yn araf, araf, gentimetr wrth gentimetr, agorodd y wal gan ddatgelu grisiau cerrig yn disgyn yn ddwfn i'r ddaear ddu.

Ro'n i'n iawn, meddai Cai wrtho'i hun, gan syllu mor bell ag y gallai i waelod y grisiau a arweiniai i'r seler. Dyw pobl ddim yn gallu diflannu.

Prin wedi hanner agor oedd y fynedfa, ac er gwaetha'i ymdrech methodd Cai â thynnu'r wal yn ôl ddim pellach i wneud yr agoriad yn fwy. Rhaid bod yna fachyn neu gliced yn rhywle oedd yn agor y wal yn iawn, meddyliodd; roedd yr adwy'n llawer rhy gul i Alice James fod wedi mynd drwyddi. Anadlodd yn ddwfn gan ei wneud ei hun mor denau ag y gallai cyn gwthio drwy'r agoriad.

Crafai'r cerrig yn erbyn ei gefn a bu'n rhaid iddo droi ei ben i un ochr, ond o dipyn i beth llwyddodd i'w wasgu ei hun drwy'r bwlch. Yna, pan oedd bron drwyddo, daliodd poced ei drowsus yn rhywbeth, ac wrth iddo'i wthio'i hun ymlaen fe'i rhwygodd.

Wel, o leiaf dwi drwyddo, meddai wrtho'i hun, gan deimlo'r rhwyg yn ei drowsus. Gobeithio'i fod e werth yr holl drafferth.

Safodd ar ben y grisiau ac estyn ei freichiau allan bob ochr iddo i wneud yn siŵr fod yna ochrau i'r grisiau cyn camu ymlaen yn bwyllog a theimlo'r ris gyntaf dan ei droed. Disgynnodd yn ofalus gan gadw'i law ar y wal ar ei ochr chwith a theimlo'i ffordd i lawr o ris i ris. Cyrhaeddodd y gwaelod yn ddirwystr, a chan ddal i ddefnyddio'r ochr fel canllaw, cerddodd yn ei flaen ar hyd y twnnel a ymestynnai i'r tywyllwch o'i flaen.

Bob ochr iddo gallai deimlo mynedfeydd i sawl ystafell, ond roedden nhw i gyd yn dywyll a dim golwg o Alice James. Aeth ymlaen ar hyd y twnnel heb wybod pa mor hir yr oedd na beth fyddai'n ei ddisgwyl ar ei ddiwedd. Ond gwyddai un peth, sef ei fod yn wlyb ac yn oer ar ôl camu sawl gwaith i ganol pyllau o ddŵr rhewllyd.

Deg? Pymtheg? Ugain metr yn ddiweddarach? Ni allai Cai ddweud yn union pa mor bell yr oedd wedi cerdded pan glywodd lais gyddfol, caled rywle yn y tywyllwch o'i flaen. Crynodd drwyddo a disgynnodd y tymheredd o'i gwmpas sawl gradd arall.

Arafodd gan deimlo'i ffordd ar hyd y twnnel a sylweddoli ei fod yn gwyro i'r dde. Wrth iddo'i ddilyn a throi'r gongl dechreuodd y tywyllwch gilio, ac o ben pella'r twnnel fe ddeuai rhyw wawr las o olau. Wrth i hwnnw gryfhau, cryfhau hefyd wnaeth sŵn y llais.

Cropiodd Cai heibio'r cornel a gweld Alice

James yn sefyll yng nghanol y twnnel. Daliai ei breichiau allan o'i blaen. Yn ei llaw dde roedd pelen ddisglair ac allan ohoni fe lifai'r golau glas. Roedd Alice James wedi ymgolli'n llwyr yn ei llafarganu, ei llais cras yn merwino clustiau Cai gan rewi ei waed.

> Drwy'r grym a gymerwyd,
> Y gallu a gipiwyd,
> A'r hawl a feddiannwyd,
> Gorchmynnaf yn awr.

> Dangos yr Agoriad!

> Drwy'r dynion a dorrwyd,
> Y gwirion a dwyllwyd,
> A'r celwydd a gredwyd,
> Gorchmynnaf yn awr.

> Datgela yr Agoriad!

> Drwy'r gobaith a guddiwyd,
> Y bywyd a beidiwyd,
> A'r enaid a gollwyd,
> Gorchmynnaf yn awr.

> Datguddia yr Agoriad!

Tawelodd y llais a diolchodd Cai am y distawrwydd, ond yna yn gwbl ddirybudd taranodd drachefn gan siglo'r ddaear o'i gwmpas.

Agor! Agor! Agor i mi!
Dangosa! Datgela! Datguddia i mi!
Y cyfan sy'n codi o'r Tir Tywyll!
Agor! Agor! Agor i mi!
Dangosa! Datgela! Datguddia i mi!
Y cyfan sy'n codi o'r Tir Tywyll!

Atseiniodd y geiriau drosodd a throsodd gan gynyddu mewn nerth ac awdurdod. Cuddiodd Cai ei glustiau â'i ddwylo ond nid oedd hynny'n ddigon i gau allan y sŵn oedd yn diasbedain drwy'r twnnel. Rhuodd y terfysg o'i gwmpas gan ysgwyd y muriau a rhyddhau llwch a cherrig mân o'r to a ddisgynnodd yn gawodydd arno. Syrthiodd i'r llawr a chladdu ei ben yn ei freichiau. Tynnodd ei goesau i fyny a throi ei wyneb tua'r wal tra taranai'r llais ymlaen ac ymlaen yn ddi-baid.

Pennod 26

'Wel?'

'Dim.'

'Na finne.'

Safai Non a Graham yng nghanol neuadd Plas
Alltlwyd. Bu'r ddau yn chwilio yn ofer am Cai.

'Falle mai at Seimon yr aeth e wedi'r cyfan,'
meddai Graham.

Ond siglo'i phen wnaeth Non. 'Na, dwi'n
gwybod mai yma ddaeth e.'

'Wel, dyw e ddim yma nawr,' meddai Graham,
gan godi carreg fechan o'r llawr.

Ond rhaid ei fod e yno; doedd Non ddim am
gyfaddef bod Graham yn iawn. Rhaid . . .

'Ydyn ni wedi chwilio ymhobman?'

'Hyd y gwn i,' meddai Graham, gan godi ei
ysgwyddau. 'Mae'r lle yma'n fwy o ddrysfa nag
unrhyw gêm gyfrifiadur. Diolch byth nad oes
yna loriau uwch ein pennau na seler dan ein
traed, neu bydde eisie byddin arnon ni i chwilio
pob twll a chornel,' a thaflodd Graham y garreg
yn erbyn wal bella'r neuadd.

'Beth ddwedest ti?' gofynnodd Non.

'Beth? Bod eisie byddin arnon ni i . . . '

'Nage, cyn hynny.'

Siglodd Graham ei ben. 'Dwi ddim yn . . . '

'Seler!' gwaeddodd Non.

'Seler? O, ie,' ac fe gofiodd Graham. 'Dweud o'n i, diolch byth nad oes yna loriau uwch ein pennau na seler dan ein traed neu fydde eisie byddin . . . '

'Ond ar un adeg fe fydde lloriau wedi bod uwch ein pennau.'

'Ti'n iawn,' meddai Graham, gan edrych i fyny drwy'r twll anferth yn nenfwd y neuadd ar yr awyr dywyll uwch eu pennau. 'Ond maen nhw i gyd wedi syrthio.'

'Ond beth am y seler?' gofynnodd Non. 'Mae wastad seler mewn hen blastai, ac mae'n siŵr 'da fi fod seler yma hefyd. A fydde honno ddim wedi syrthio.'

'Fe alle hi, fel twnnel neu bwll glo.'

'Ond wedyn bydde'r adeilad i gyd wedi syrthio.'

Nodiodd Graham yn araf. 'Wel, bydde, sbo.'

'Wrth gwrs bydde fe. Y seler yw sylfaen y plas. Fe ddylet ti, fel mab i adeiladydd, wybod hynny!'

'Does dim seler gyda'r tai mae Dad yn eu hadeiladu,' meddai Graham yn amddiffynnol.

'Ond fentren i fod un gyda Phlas Alltlwyd.'

'O'r gore,' cytunodd Graham yn gyndyn. 'Ond ble mae hi?'

'O dan ein traed.'

'Wrth gwrs 'ny, ond ble mae'r grisiau sy'n arwain lawr ati?'

'Hm,' meddai Non, gan edrych o'i hamgylch a dechrau crwydro o gwmpas y neuadd. 'Storio pethau fydden nhw'n ei wneud mewn seler, yntefe?'

'Ie.'

'A'r gweision a'r morynion fydde'n mynd lawr i'w nôl nhw, ddim aelodau'r teulu.'

'Fwy na thebyg.'

'Felly rhywle yng nghefn yr adeilad, yn agos i'r gegin ac ystafelloedd y gweision a'r morynion ddylai'r grisiau fod.'

Nodiodd Graham. 'Ie. Ddim fan hyn yn y brif neuadd.'

Rhuthrodd y ddau drwy'r fynedfa ar y dde, allan o'r neuadd ac ar hyd y coridor bychan a arweiniai i gefn y plasty.

'Dyna ble'r o'dd y gegin,' meddai Non, gan bwyntio at ystafell eang yn y cefn.

'Shwd wyt ti'n gwybod?' heriodd Graham.

'Dwedodd Seimon wrtha i.'

'O. Wel, fe ddylai'r grisiau i'r seler fod rywle fan hyn.'

Edrychodd y ddau o'u cwmpas.

'Dyna lle'r o'dd grisiau cefn y plas,' meddai

Non, gan bwyntio at yr olion a ddringai i fyny'r wal. 'Dyna'r grisiau bydde'r morynion yn eu defnyddio i fynd i fyny i'r llofft.'

'Wel, fel arfer mae'r grisiau i gyd yn yr un lle,' meddai Graham, yn awyddus i ddangos ei fod yn gwybod rhywbeth am adeiladu. 'Un ar ben y llall.'

'Os felly, fe ddylai'r . . . Edrych! Beth yw hwnna?'

Ond cyn i Graham gael cyfle i droi ac edrych, fe ddisgynnodd carreg o'r wal a tharo'r ddaear gan dorri'n ddegau o ddarnau mân, miniog, a thasgu o'u cwmpas i bob cyfeiriad.

'Non!'

Syrthiodd darn hirsgwar o blaster lai na hanner metr i'r chwith iddo a neidiodd Graham yn ôl.

'Non!' galwodd eto. Ond doedd hi ddim yn gwrando.

'Graham! Dwi wedi ffeindio'r grisiau.'

'Gad nhw!' galwodd Graham, gan edrych i fyny a gweld coeden fechan oedd wedi gwreiddio'n uchel ar ymyl y wal yn disgyn tuag atyn nhw. Rhedodd at Non a'i thynnu allan o'r ffordd. 'Gad nhw, mae'r adeilad yn mynd i gwympo.'

Tynnodd Non ei braich yn rhydd. 'Na! Mae Cai lawr yn y seler. Rhaid i ni fynd ar ei ôl e.'

'Dwyt ti ddim yn gwybod ei fod e lawr 'na.'

'Ydw, dwi *yn* gwybod. Edrych.' Cododd ei llaw a dangos darn bychan sgwâr o ddefnydd glas.

Tasgodd rhagor o gerrig a phlaster yn gawod beryglus o'u cwmpas. Trawodd un Graham ar ei foch a thynnu gwaed.

'Aw!'

Crynodd y wal yn eu hymyl ac agorodd y fynedfa i'r seler ychydig yn fwy, yn union fel petai'n eu gwahodd i fynd drwyddi.

'Dere,' meddai Non gan gydio yn llaw Graham a'i dynnu drwy'r agoriad eiliad yn unig cyn i wal y llawr uwchben wyro a disgyn yn domen yn erbyn drws y seler a'i gau.

~

Rhoddodd Seimon Morris y llyfr i lawr a chodi i ddiffodd y fflam nwy o dan y tegell. Stwriodd Gel a chodi ei phen i weld beth roedd ei meistr yn ei wneud. Edrychodd arno'n arllwys y dŵr i'r cwpan ac yna'n tynnu'r botel laeth allan o'r bwced dŵr. Ond pan agorodd Seimon ddrws y cwpwrdd uwchben y sinc, cododd ei phen yn uwch fyth a symud ei choesau blaen yn ôl ac ymlaen yn ddisgwylgar.

'Dyma ti,' meddai Seimon, gan daflu bisgïen i'r ast. Llarpiodd Gel hi'n gyfan a syllu arno'n obeithiol am fwy.

'Mae un yn ddigon,' meddai Seimon Morris,

'i ti ac i finne,' ac fe gaeodd ddrws y cwpwrdd a chario'i gwpan yn ôl at ei gadair.

Gorffwysodd Gel ei phen ar ei phawennau unwaith eto a chau ei llygaid. Ond yna cododd ei phen yn ddirybudd a'i droi i gyfeiriad drws agored y garafán. Dechreuodd chwyrnu'n ddwfn yn ei gwddf a chodi ar ei thraed.

'Be sy?' gofynnodd Seimon, gan edrych arni.

Dyfnhaodd y chwyrnu, a chynyddodd nes iddo ffrwydro mewn cyfarthiad. Trodd yr ast i edrych ar ei meistr cyn troi yn ôl at y drws a chyfarth eto.

'Be sy, Gel? Beth wyt ti wedi'i glywed?' Cododd Seimon Morris a mynd i sefyll yn ei hymyl gan syllu i'r tywyllwch y tu allan i'r garafán.

PENNOD 27

Agor! Agor! Agor i mi!

Taranai'r geiriau o amgylch y twnnel gan ryddhau cerrig a'u hyrddio at gorff llonydd Cai. Gwasgodd ei hun mor glòs ag y gallai i'r wal ond ychydig iawn o gysgod oedd i'w gael yno.

Datguddia! Datgela! Dangosa i mi!

Disgynnodd ergyd ar ôl ergyd o seiniau a cherrig arno'n ddi-baid, gan ei fyddaru a churo'i gorff. Ond ni feiddiai symud.

Y cyfan sy'n codi o'r Tir Tywyll!

Ei unig obaith oedd aros ble'r oedd a gweddïo na fyddai'r twnnel yn dymchwel ar ei ben. O'r diwedd, wrth i'r geiriau atseinio, cilio, a marw yn y pellter am y tro olaf, fe fentrodd Cai gredu ei fod drosodd. Symudodd ei goesau a theimlo pwysau'r cerrig arnyn nhw. Gwthiodd ei hun i fyny a disgynnodd y cerrig i'r llawr. Sychodd y baw o'i wyneb a syllu ar hyd y twnnel drwy'r llen o lwch trwchus.

Roedd y golau glas yn dal i'w weld ond nid oedd mor llachar bellach, ac wrth i'r cymylau o lwch glirio gwelodd Cai agoriad yn ochr y twnnel. Dyma beth roedd Alice James yn ei wneud, meddyliodd, wrth iddo godi ac agosáu'n sigledig tuag ato. Roedd hi'n gwybod am fodolaeth yr ystafell hon ac roedd hi wedi dod yma i'w hagor.

Ond sut oedd hi wedi ei hagor? Edrychodd ar ymylon llyfn yr agoriad, ar y cerrig oedd wedi eu torri a'u naddu'n lân. Nid tirlithriad oedd wedi agor y fynedfa, ac er nad oedd Cai am gredu hynny, ni allai ond meddwl mai trwy ryw ddewiniaeth roedd Alice James wedi ei hagor.

Pwysodd Cai yn benwan yn erbyn y wal a syllu'n ddryslyd drwy'r agoriad. Nid un ystafell oedd yno, ond tair; un fawr a dwy fach. Clywodd sŵn symud a thuchan yn dod o ganol yr ystafell fawr, ac er na allai weld beth oedd yn digwydd yno, roedd yn siŵr bod Alice James yn chwilio am rywbeth. Ond roedd cynnwys y ddwy ystafell fechan yn ddigon i hoelio sylw Cai. Yno, o dan drwch blynyddoedd o faw a gwe pry cop, roedd casgliad anhygoel o flychau, lluniau, llyfrau, offer ac addurniadau.

Cerddodd Cai drwy'r fynedfa ac i mewn i'r agosaf o'r ddwy ystafell gan glirio llen o we o'i ffordd. Sychodd y baw i ffwrdd o ben blwch metel mawr a gweld bod rhywbeth wedi ei ysgrifennu ar ei draws mewn llythrennau coch trwchus. Astudiodd yr ysgrifen ond ni allai wneud na phen na chynffon ohoni; roedd y llythrennau a'r sgathriadau'n debyg i'r rhai roedd Cai wedi eu gweld mewn llyfrau ar hanes yr Aifft. Ceisiodd agor caead y blwch ond roedd wedi ei selio.

Camodd heibio i'r blwch at fwrdd cul ac arno rywbeth tal, crwn, wedi ei orchuddio â lliain tywyll. Tynnodd Cai y lliain i ffwrdd gan godi cwmwl llwyd o lwch a baw i'r awyr. Caeodd ei lygaid a rhoi ei ddwylo dros ei drwyn a'i geg i dagu'r peswch a gronnai yng nghefn ei lwnc. Trodd ei ben i ffwrdd ac aros i'r llwch ddisgyn cyn mentro edrych i weld beth oedd o dan y lliain.

Pan edrychodd o'r diwedd bu bron iddo dagu a thaflu i fyny yr eiliad y gwelodd yr olygfa erchyll o'i flaen. Yno roedd cawell pren ac ynddo sgerbwd anifail bychan, ei groen wedi crebachu a chaledu. Ni allai Cai ddweud pa un ai mwnci neu gath neu rywbeth arall oedd yr anifail, ond roedd ei weflau wedi eu tynnu'n ôl dros ei ddannedd mewn ysgyrnygiad o gasineb a her i bwy bynnag oedd wedi ei gaethiwo a'i adael i farw yn y fath le.

Taflodd Cai y lliain yn ôl dros y cawell i guddio'r anifail – i'w gladdu. Ers pryd oedd e wedi bod yno? Pryd caewyd yr ystafelloedd? Os nad oedd neb wedi byw ym Mhlas Alltlwyd ers dros gan mlynedd, rhaid bod y pethau hyn wedi bod yn gorwedd yno ers iddo gael ei ddinistrio yn y tân, dros gant a hanner o flynyddoedd yn ôl!

Yn ei ymyl roedd pentwr tal o lyfrau lledr trwchus, a llyfr bychan, tenau, yn gorwedd ar eu pennau. Cydiodd ynddo, tynnu ei law ar draws y clawr lledr du a gweld o dan y llwch ddwy lythyren aur yn gwau drwy ei gilydd – 'W.A' Roedd ar fin ei roi yn ôl pan sylweddolodd beth oedd arwyddocâd y llythrennau.

'William Allen!' sibrydodd yn gyffrous. 'Ei bethau e yw'r rhain!'

Offer a gwrthrychau'r arbrofion roedd William Allen wedi eu cynnal ym Mhlas Alltlwyd oedden nhw. Pethau roedd ef wedi eu defnyddio yn y seremonïau a enynnodd amheuaeth ac atgasedd trigolion Blaencelyn. Roedd rhywun wedi eu rhoi yno i'w cadw'n ddiogel ac wedi gosod swyn arnyn nhw i'w cuddio. Tan heno. Tan i Alice James ddod i chwilio am rywbeth. Am beth roedd hi'n chwilio, tybed? meddyliodd Cai. Ac fel ateb i'w gwestiwn atseiniodd bloedd uchel drwy'r twnnel.

Adnabu Cai lais Alice James; ei llais hi ac nid y llais caled roedd ef wedi ei glywed yn gynharach. Swniai fel petai hi wedi darganfod yr hyn roedd hi wedi bod yn chwilio amdano. Ac os oedd hi wedi ei gael, yna fe fyddai'n dod allan o'r ystafell!

Chwiliodd Cai yn wyllt am rywle i guddio. Ystyriodd ei daflu ei hun y tu ôl i'r blwch mawr metel, ond beth petai Alice James yn dod i mewn i'r ystafell fechan? Doedd dim dewis ganddo ond rhuthro allan i'r twnnel gan sgrialu dros y cerrig a orchuddiai'r llawr.

Baglodd, syrthiodd, cododd a rhedodd yn ôl ar hyd y twnnel, gan gyrraedd y gongl eiliadau'n unig cyn i Alice James ymddangos yn yr agoriad yn cario blwch arian hirgrwn. Gwasgodd Cai ei hun yn erbyn y wal, a'r eiliad nesaf clywodd y llais cras, crafog yn dechrau llafarganu unwaith eto. Ond y tro hwn roedd y geiriau'n wahanol; roedd y swyn wedi newid.

Cau! Cau! Cau i mi!
Cuddia! Cela! Cadwa i mi!
Y cyfan sy'n cilio i'r Tir Tywyll!

Ond fel o'r blaen, wrth i'r llais gynyddu mewn nerth ac awdurdod, dechreuodd y twnnel grynu a siglo, gan daflu cerrig i bob cyfeiriad. Ac fel o'r blaen, safai Alice James ar ganol y llawr yn hollol ddi-hid o'r perygl, a'i breichiau wedi eu codi'n uchel o'i blaen. Daliai'r blwch hirgrwn yn un llaw a'r belen ddisglair yn y llall wrth iddi eu troi mewn dau wrthgylch, yn union fel petai hi'n tynnu ochrau'r agoriad i'r ystafelloedd cudd at ei gilydd. Ac unwaith eto fe lafarganai drosodd a throsodd:

> Cau! Cau! Cau i mi!
> Cuddia! Cela! Cadwa i mi!
> Y cyfan sy'n cilio i'r Tir Tywyll!

Tasgodd carreg fawr ar bwys Cai ac roedd hynny'n ddigon i'w sbarduno i ffoi yn ôl ar hyd y twnnel am y grisiau a dianc. Cododd o'i guddfan a sylweddoli bod y llyfr lledr du bychan yn dal yn ei law. Oedodd am eiliad gan fwriadu ei daflu'n ôl ar hyd y twnnel, ond petai Alice James yn ei weld fe fyddai'n gwybod bod rhywun wedi ei dilyn. Edrychodd arno am ennyd cyn codi cynffon ei grys a gwthio'r llyfr i lawr cefn ei drowsus.

Yna trodd a rhedeg yn ôl ar hyd y twnnel a'r llais cras yn adlamu ar y muriau o'i gwmpas. Ond nid oedd wedi mynd mwy na phum metr cyn i'r ddaear grynu'n ffyrnig oddi tano a chodi gan ei daflu yn ei hyd ar y llawr.

PENNOD 28

'Mae e'n sownd!' gwaeddodd Graham, gan wthio yn erbyn drws y seler â'i holl nerth, ond yn ofer.

'Bydd rhaid i ni fynd lawr, 'te,' meddai Non.

'Ti'n jocan! Dwi ddim yn mynd lawr fan'na!'

'Ble arall allwn ni fynd?'

Disgynnodd dyrnaid arall o gerrig a gwingodd Graham wrth iddyn nhw ddawnsio a thasgu o'u cwmpas.

'Iawn,' meddai'n gyndyn, gan wthio'i law i'w boced.

Dechreuodd Non i lawr y grisiau, ond rhoddodd Graham ei law arall ar ei hysgwydd i'w stopio.

'Af i gynta,' meddai, a chyneuodd dortsh bychan oedd ynghlwm wrth ei gadwyn allweddi.

'Do'n i ddim yn gwybod bod gyda ti dortsh.'

'Tortsh twll clo yw e, nid un i chwarae *I Grombil Carnddiffwys* ag e. Jyst gobeithia fod 'na nerth ar ôl yn y batri.'

Chwifiodd Graham y tortsh o'r naill ochr i'r llall wrth iddyn nhw ddisgyn y grisiau, ac yn ei olau gwan gallai'r ddau weld y llanast o gerrig roedd y cryniadau wedi eu rhyddhau o'r waliau a'r nenfwd.

'Pa ffordd?' gofynnodd Graham ar ôl iddyn nhw gyrraedd y gwaelod. Disgleiriodd y golau yn syth o'u blaen ac yna yn ôl heibio i ochr dde'r grisiau.

'Dwi ddim yn gwybod,' meddai Non, gan edrych i'r ddau gyfeiriad. 'Beth wyt ti'n feddwl? I'r dde?'

'Iawn,' meddai Graham. 'I'r dde amdani.'

Ond yna, gyda'r un sicrwydd ag yr oedd hi wedi gwybod bod Cai wedi dod i'r plasty a'i fod e wedi mynd lawr i'r seler, fe wyddai Non mai i'r chwith y dylen nhw fynd.

'Nage, i'r chwith!'

Arhosodd Graham. 'Ti'n siŵr?'

'Ydw, berffaith.'

Cadwai'r ddau yn glòs at ei gilydd. Arweiniai Graham y ffordd tra pwysai Non ei llaw chwith ar ei ysgwydd. Bob hyn a hyn roedd yn rhaid i'r ddau wahanu a dringo dros domenni o gerrig a rwbel. Pan fydden nhw'n cyrraedd un o'r ystafelloedd oedd ar hyd y twnnel, arhosai Non yn y fynedfa tra âi Graham i mewn i'w harchwilio, ond roedd pob un yn wag, a dim ond ambell nyth llygoden ac ychydig o esgyrn bychain sych i dystio nad oedd neb wedi bod yn agos i'r lle ers blynyddoedd.

Nid oedd golwg o Cai nac Alice James yn unman, ac roedd Graham wedi hen ddiflasu ar y cyfan ac yn difaru ei fod wedi dilyn Non o gwbl, heb sôn am wrando ar ei syniadau gwirion. Pan ddoi allan o'r twll yma . . . Os doi allan . . .

'Graham! Graham!'

Trodd tua mynedfa'r ystafell yr oedd yn ei harchwilio ond doedd Non ddim yno.

Nawr ble mae hi wedi mynd? meddyliodd.

'Graham!'

'Iawn! Iawn! Dwi'n dod!' Gadawodd yr ystafell a throi i'r dde i gyfeiriad ei llais, a dyna pryd y teimlodd y ddaear yn ysgwyd yn nerthol a thon gynddeiriog o sŵn yn rowlio tuag ato o ben draw'r twnnel.

'Non! Non! Ble'r wyt ti?' galwodd, gan chwifio'r tortsh yn wyllt o'i flaen.

'Fan hyn! Mae Cai fan hyn!'

Rhedodd Graham ymlaen tuag ati gan sgrialu a llithro ar draws y cerrig. Yna gwelodd Cai yn gorwedd ar ei hyd ar y llawr, a Non yn trio'i helpu i godi.

'Mae e wedi bwrw'i ben,' meddai Non, gan wthio dyrnaid trwchus o wallt Cai yn ôl o'i dalcen i ddangos briw oedd yn dal i waedu.

'Dere, gad e i fi,' meddai Graham, gan estyn y

tortsh iddi. Gafaelodd ym mraich Cai a'i dynnu i fyny ar ei bengliniau. Yna lapiodd fraich Cai o gwmpas ei wddf a gafael yn ei wregys, ac o dipyn i beth llwyddodd i'w godi ar ei draed a'i hanner cario, hanner llusgo, yn ôl ar hyd y twnnel. Cydiodd Non ym mraich arall Cai a'i gwthio'i hun yn ei erbyn i'w helpu i'w gadw ar ei draed ac i ysgafnhau ychydig ar faich Graham.

Yn boenus o araf ymlwybrodd y tri yn ôl i gyfeiriad y grisiau, tra crynai ac ysgydwai'r ddaear y tu ôl iddyn nhw, a'r sŵn yn rhuo'n fygythiol wrth eu sodlau. Disgynnai mwy a mwy o gerrig yn gawodydd o'u cwmpas gan daro'u cefnau a'u breichiau, ond er gwaethaf y peryglon gwyddai Graham a Non mai cadw i fynd oedd eu hunig obaith.

Tagai a phesychai Graham o dan y pwysau a llifai'r chwys i lawr ei wyneb, ond roedd yn benderfynol o beidio â gollwng Cai. Roedd golau'r tortsh yn llaw Non yn gwanhau'n gyflym ac erbyn iddyn nhw gyrraedd y grisiau nid oedd yn llawer cryfach na golau cannwyll pen-blwydd.

'Ble nawr?' gofynnodd Graham, gan dagu ac ymladd am ei anadl.

Edrychodd Non ymlaen ac i fyny'r grisiau, ac yna'n sydyn clywodd y ddau sŵn clec a tharan anferth ymhell y tu ôl iddyn nhw.

'Mae'r to'n mynd i syrthio!' gwaeddodd Graham.

Ffrwydrodd cwmwl anferth o lwch a chawod enbyd o gerrig mân tuag atynt ar hyd y twnnel a'u lapio'u hunain o'u cwmpas.

'Ymlaen!' gwaeddodd Non.

'Ond beth . . . os nad oes . . . ?' Tagodd Graham eto a dechrau peswch.

'Fydd dim gwahaniaeth wedyn, na fydd?' meddai Non, gan dynnu Cai heibio'r grisiau.

Ymlwybrodd y ddau ymlaen, a Cai yn hongian yn llipa rhyngddyn nhw, heibio i sawl ystafell dywyll arall. Disgleiriodd Non y tortsh i mewn i bob un, ond doedd y golau ddim yn ddigon cryf i weld ymhell ac nid oedd dim a welai yn awgrymu bod yr un ohonyn nhw'n cynnig ffordd allan. Dechreuodd Graham anobeithio, ond tynnodd Non ef ymlaen heb roi cyfle iddo laesu dwylo. Roedd ef wedi ei hachub hi o Dyddyn Gwyn, ac roedd hi'n benderfynol o'i gael ef a Cai allan yn ddiogel.

'Graham,' meddai'n sydyn. 'Wyt ti'n teimlo'r ddaear yn oleddu tuag i lawr?'

'Beth?' a stwriodd Graham ei hun gan wthio'i feddyliau tywyll naill ochr.

'Dwi'n siŵr ein bod ni'n mynd lawr, yn mynd yn ddyfnach i mewn i'r ddaear.'

Canolbwyntiodd Graham ar ei draed ac o fewn pedwar cam roedd yn cytuno â Non.

Ochneidiodd a theimlo'i goesau'n troi'n drwm ac yn farw. Ni allai fynd gam ymhellach. Beth oedd y pwynt? Os mai mynd yn ddyfnach i mewn i'r ddaear oedden nhw, yna doedd ganddyn nhw ddim gobaith dianc. I fyny ac nid i lawr roedden nhw am fynd, allan o'r lle ofnadwy hwn, ddim yn ddyfnach . . .

'Graham! Graham, edrych!'

'Beth?' meddai'n ddigalon.

'Golau!' meddai Non. 'Mae 'na agoriad draw fan'co!'

Cododd Graham ei ben. Yn syth o'u blaen roedd llygedyn o olau gwan nad oedd yn ddim mwy na chylch bychan llwydwyn yn y pellter. Ond wrth iddyn nhw agosáu fe dyfodd y cylch mewn maint a goleuni gan eu denu tuag ato.

'Diolch byth,' meddai Graham fymryn yn fwy gobeithiol.

'Dere, ry'n ni bron yna!' llefodd Non, gan symud ei phen yn ôl ac ymlaen i leddfu ychydig ar y poen yn ei gwar lle'r oedd Cai yn pwyso. Wrth iddi wneud hynny synhwyrodd ryw symudiad yn y tywyllwch y tu ôl iddyn nhw.

Am eiliad meddyliodd Non mai rhagor o gerrig yn syrthio o'r muriau a'r to roedd hi wedi eu gweld, neu gwmwl arall o lwch yn chwythu drwy'r twnnel. Ond pan na chlywodd sŵn dim yn disgyn, a dechrau teimlo'r oerni roedd hi wedi ei deimlo yn Nhyddyn Gwyn yn cau amdani, gwyddai fod rhywbeth yno a oedd i'w ofni yn fwy na thirlithriad.

'Dere, Graham!' gwaeddodd, gan gerdded yn gynt.

'Be sy?' meddai Graham. 'Ry'n ni bron mas o'r twll yma.'

Ond prysurodd Non ymlaen gan wybod nad oedd ganddi amser i esbonio beth oedd y tu ôl iddyn nhw. Llusgodd Graham a Cai ar ei hôl, ac roedd y tri o fewn deg metr i'r agoriad pan ymddangosodd rhywbeth tywyll ar ei draws gan gau allan y golau.

'Na!' sgrechiodd Non a delwi yn ei hunfan.

Baglodd Graham gam arall ymlaen cyn codi ei ben ac edrych tuag at ddiwedd y twnnel. Gwelodd ffigwr yn dod tuag atyn nhw.

Ni allai Non symud, dim ond syllu mewn dychryn ar y ffigwr wrth iddo agosáu a thyfu mewn maint.

'Na! Plîs, na!' sgrechiodd Non.

'Non? Graham? Chi sy 'na?'

'Seimon!' llefodd Non, gan adnabod y llais, a'r eiliad nesaf rhuthrodd Gel heibio iddi i'r tywyllwch tu hwnt, ei dannedd gwyn, miniog yn disgleirio. Rhwygwyd yr awyr gan sŵn cyfarth a rhuo wrth i'r ast ymosod ar beth bynnag oedd wedi bod yn eu dilyn.

'Be sy'n digwydd?' gofynnodd Graham, gan ddechrau troi i edrych y tu ôl iddyn nhw.

'Na, Graham, paid!' galwodd Seimon arno, gan gydio yn Cai a'i godi yn ei freichiau. 'Dewch gyda fi.'

'Seimon,' meddai Non eto, a llifodd ei dagrau'n ddwy ffrwd wen gynnes ar hyd ei hwyneb llychlyd.

PENNOD 29

'Hen gwter i adael dŵr allan o'r seler oedd yr agoriad,' meddai Seimon, gan lanhau'r briw ar dalcen Cai. 'Dyna pam roedd y twnnel yn oleddu am i lawr, er mwyn i'r dŵr lifo allan.'

'Ooo!' cwynodd Cai a orweddai ar ei hyd ar un o seddi hir y garafán.

'Llosgi?'

'Ydi, ychydig,' atebodd Cai.

'Sy'n dangos ei fod yn golchi'r drwg allan.'

'Ond shwd o't ti'n gwybod ein bod ni yna?' gofynnodd Graham, gan yfed yn swnllyd a'i helpu ei hun i fisgïen arall.

'Doeddwn i ddim. Gel arweiniodd fi at yr agoriad. Roedd hi wedi synhwyro neu glywed rhywbeth – muriau Plas Alltlwyd yn syrthio, falle, ac . . . '

'Ydyn nhw wedi syrthio?' gofynnodd Non.

'Ydyn. Does dim un yn uwch na'r llawr cyntaf yn dal i sefyll. Mae'n rhaid i fi gyfadde nad oeddwn i'n meddwl bod y lle mor beryglus â hynny.'

Edrychodd Non a Graham ar ei gilydd, gan gofio rhybudd Alun Morgan.

'Bydd rhaid i chi ailysgrifennu pennod olaf eich project nawr,' meddai Seimon, gan godi o ymyl Cai a chario'r ddysgl o ddŵr at y sinc. 'A phwy fyddai wedi meddwl y byddai gennych chi ran yn y bennod olaf honno.'

Ciledrychodd Non a Graham ar ei gilydd eto.

'Fydd rhaid i ni ddweud wrth rywun?' gofynnodd Non.

'Bod y muriau wedi syrthio?'

'Ie.'

'Wel, bydd rhaid i rywun ddymchwel gweddill y lle. Mae'n llawer rhy beryglus i'w adael e fel y mae.'

'Wrth bwy y dylen ni ddweud?'

Cododd Seimon ei ysgwyddau. 'Y cyngor, fwy na thebyg. Mae'n siŵr y byddan nhw'n gwybod beth i'w wneud. Ydych chi am i fi ddweud wrthyn nhw?'

'O, plîs,' meddai Non, gan deimlo baich trwm yn codi oddi ar ei hysgwyddau.

'Graham?'

Nodiodd Graham. 'Ie, bydde fe'n well petaet ti'n dweud wrthyn nhw.'

'O'r gore, os wnewch chi rywbeth i fi.'

'Beth?'

'Dweud wrtha i beth oeddech chi'ch tri'n ei wneud yno heno.'

Ddywedodd yr un ohonyn nhw air.

'Wel?'

Yn gyndyn, dechreuodd Non a Graham adrodd eu storïau, ac wrth iddyn nhw sôn am eu hymweliad â Thyddyn Gwyn ceisiodd y ddau wneud eu gorau i ddangos pa mor ddewr roedden nhw wedi bod yn mynd i mewn i'r tŷ. Ond pan ddaeth hi'n amlwg nad oedd Seimon Morris yn cymeradwyo'r hyn roedden nhw wedi ei wneud, tawelodd Non a gadael i Graham orffen yr hanes.

'A dwi ddim eisie mynd yno eto heb wybod sut i ddiffodd y system ddiogelwch,' meddai Graham, gan orffen ei stori a'i ddiod.

'Wel,' meddai Seimon, 'dwi'n cytuno mai cadw allan o Dyddyn Gwyn fydd y peth gore i chi ei wneud, system ddiogelwch neu beidio.'

'Dwi ddim yn meddwl mai system ddiogelwch o'dd e,' meddai Non.

'O, paid dechrau hynny eto,' meddai Graham yn ddiamynedd.

'Beth oeddet ti'n ei feddwl oedd e, 'te?' gofynnodd Seimon iddi.

Siglodd Non ei phen. 'Dwi ddim yn gwybod. Ond ro'dd e'n fwy fel presenoldeb *rhywun* yn hytrach na *rhywbeth*.'

'Wel ddim Alice James o'dd yna, beth bynnag,' meddai Cai. 'Ro'dd hi'n mynd drwy ei phethau ym Mhlas Alltlwyd.'

'A beth yn hollol oedd hi'n ei wneud?' gofynnodd Seimon.

'Ie,' meddai Graham. 'Beth *o'dd* Gwrach Greulon y Gogledd yn ei wneud yno?'

Tro Cai oedd hi wedyn i ddweud beth oedd ef wedi ei wneud a'i weld y noson honno. Dangosai Seimon Morris ddiddordeb mawr yn y cyfan, gan ofyn i Cai ailadrodd yr hyn a ddigwyddodd i'r gwningen a cheisio cofio'r geiriau roedd Alice James wedi bod yn eu llafarganu yn y seler. Ond er gwaethaf pob ymdrech, ni allai Cai gofio dim ond y gorchymyn i agor ac i ddangos y cyfan a ddeuai o'r Tir Tywyll.

'Y Tir Tywyll?' gofynnodd Seimon. 'Wyt ti'n siŵr mai dyna ddwedodd hi?'

'Ydw.'

'Beth yw hwnnw?' gofynnodd Graham.

Nid atebodd Seimon, dim ond gofyn cwestiwn arall. 'Ac ar ôl iddi orffen canu agorodd y drws cudd?'

'Ie.'

'Wyt ti'n cofio beth oedd yn yr ystafell?'

Unwaith eto gwnaeth Cai ei orau i gofio'r cyfan a welsai. Rhestrodd gymaint o gynnwys yr ystafell fach ac y gallai, ac yn ei ymdrech i gofio, gwthiodd ei hun i fyny ar y sedd hir a theimlo rhywbeth yn gwasgu yn erbyn ei gefn. Cofiodd am y llyfr bychan roedd wedi ei gadw, ac roedd ar fin estyn ei law at gefn ei drowsus pan newidiodd ei feddwl. Nid oedd ef wedi cael cyfle i astudio'r llyfr eto, a phetai'n ei ddangos i'r lleill nawr, fe fydden nhw'n siŵr o'i hawlio a'i gymryd oddi arno. Na, penderfynodd Cai, fe allen nhw aros am ychydig.

'Unrhyw beth arall?' gofynnodd Seimon.

'Na,' meddai Cai, gan orwedd lawr eto. 'Ond fe gymerodd Alice James flwch arian hirgrwn o'r ystafell fawr.'

'Do fe?' meddai Seimon. 'Blwch arian hirgrwn?'

'Ro'dd e'n rhyw fetr o hyd.'

'Nawr beth allai fod yn hwnnw?' meddai Seimon wrtho'i hun.

'Ond beth ddigwyddodd iddi wedyn?' gofynnodd Non.

'Ro'n i'n meddwl mai hi o'dd tu ôl i ni pan ddaeth Seimon i mewn i'r twnnel,' meddai Graham.

'Nage,' meddai Non. 'Rhywbeth tebyg i'r ffigwr tywyll weles i yn Tyddyn Gwyn o'dd hwnnw.'

Ochneidiodd Graham a chodi ei lygaid tua'r nenfwd. 'Tybed pam mai dim ond ti sy'n gweld y ffigwr tywyll yma?'

'Bydd yn ddiolchgar bod Seimon wedi cyrraedd pan wnaeth e, neu byddet tithau wedi ei weld e hefyd.'

'Ie, ie.'

Gorweddai Gel ar y llawr wrth draed Seimon ac estynnodd Non ei llaw i'w mwytho. Pan oedd Seimon wedi eu harwain nhw allan o seleri Plas Alltlwyd roedd sŵn yr ymladd i'w glywed yn glir y tu ôl iddyn nhw ac roedden nhw wedi gadael Gel yno, ond erbyn iddyn nhw gyrraedd y garafán roedd yr ast yn eu dilyn.

Nid oedd Seimon wedi sôn am y digwyddiad, ac er gwaethaf ei chwilfrydedd i wybod beth oedd y creadur fu'n eu dilyn, a beth oedd wedi digwydd iddo, nid oedd Non wedi mentro gofyn. Hi oedd yr unig un o blith y tri oedd wedi ei weld, a gwyddai'n iawn y byddai Graham yn siŵr o wneud mwy o hwyl am ei phen petai'n holi Seimon amdano. Ond *roedd* Seimon wedi ei weld; rhaid ei fod e, gan iddo rybuddio Graham rhag edrych 'nôl. Fe gâi Non gyfle i'w holi eto, pan na fyddai Graham o gwmpas.

'Ond beth yw'r Tir Tywyll yma soniest ti amdano fe?' gofynnodd Graham, a oedd newydd gofio nad oedd Seimon wedi ei ateb.

Edrychai Seimon fel petai'n ceisio penderfynu faint y dylai ei ddweud wrth y tri, ac yna, wrth i'r olwg ddifrifol ar ei wyneb feddalu rywfaint, fe ddaeth yn amlwg ei fod wedi dod i'r casgliad bod cymaint wedi digwydd iddyn nhw yn ystod y diwrnodau diwethaf fel eu bod yn haeddu esboniad.

'Dwi wedi sôn wrthych chi'n barod am dywysogaethau'r tywyllwch; wel, mae ganddyn nhw eu dilynwyr a'u gweithwyr ym mhob oes, pobl debyg i William Allen sydd am i'r drygioni barhau. Ac yn union fel mae etifeddiaeth dda'r cwmwl tystion yn cael ei throsglwyddo o genhedlaeth i genhedlaeth, dyna mae gweision tywysogaethau'r tywyllwch yn ceisio'i wneud gyda drygioni.'

'Ac mae Alice James wedi cael gafael ar rywbeth o'dd yn perthyn i William Allen,' meddai Graham.

'Ydi.'

'Ydi hi'n un ohonyn nhw?' gofynnodd Non.

'Mae'n edrych yn debyg,' meddai Seimon. 'Ond a ydi hi'n ymwybodol o hynny? Mae'n gwestiwn anodd i'w ateb, a dim ond amser a ddengys.'

'Amser a ddengys!' meddai Graham yn anghrediniol a gwên nawddoglyd ar ei wyneb. 'Falle nad ydw i wedi deall popeth sy wedi cael ei ddweud fan hyn, ac ry'ch chi'ch tri'n sôn amdani fel petai hi'n dal yn fyw, ond dwi wedi deall un peth, sef bod Alice James yn seler Plas Alltlwyd, o dan dunelli o gerrig.'

'O, na,' meddai Seimon Morris. 'Na, fe alli di fod yn siŵr ei bod hi wedi dianc, heb yr un crafiad nac anaf, ac fe fyddwn ni'n ei chyfarfod hi eto cyn bo hir.'

NID YW'R YMCHWIL DROSODD.
Y LLYFR NESAF YN Y GYFRES YW:

I'R TIR TYWYLL

DYMA RAGFLAS . . .

Fflachiodd y gwydr fel seren yng ngolau'r tân wrth iddo wibio ar draws yr ystafell a ffrwydro'n filoedd o ddarnau mân yn erbyn y wal.

'Na!' sgrechiodd y dyn, gan gydio mewn gwydr arall a'i hyrddio ar ôl y cyntaf. 'Nid fel hyn mae hi i fod!'

Edrychodd o'i gwmpas yn wyllt gan chwilio am rywbeth arall i dalu am ei dymer. Ond doedd yna ddim byd. Tystiai'r llanast dan ei draed ei fod wedi colli pob rheolaeth arno'i hun, ac roedd sylweddoli hynny'n ergyd fawr iddo. Roedd ef uwchlaw pethau felly; uwchlaw rhyw fân bethau dynol fel teimlad ac emosiwn.

*Anadlodd yn ddwfn a thynnu ei law
yn araf dros ei ben, gan deimlo'i wallt
sidanaidd o dan ei fysedd. Dechreuodd
dawelu a gwthio digwyddiadau'r
munudau diwethaf o'i feddwl. Ychydig
amser eto ac fe fydden nhw'n angof,
fel pe na baent erioed wedi digwydd.*

*Trodd at y bwrdd lle gorweddai
pentyrrau blêr o bapur. Yno roedd
ffeiliau, a oedd fel arfer yn gymen a
threfnus, wedi chwydu eu cynnwys ar
hyd y pren tywyll, gan gymysgu â'i
gilydd yn un domen anniben.*

*Cydiodd mewn dyrnaid o'r papurau
ac edrych drwyddyn nhw. Roedd diffyg
amynedd Alice James wedi costio'n
ddrud iddo. Gorweddai Plas Alltlwyd
yn ddarnau, a'r llwybr i drysorau
William Allen wedi ei gau, efallai am
byth. Ond nid oedd ef yn barod i ildio;
roedd wedi gweithio'n llawer rhy galed
ac wedi buddsoddi gormod o arian ac
amser i roi'r gorau i'w freuddwyd yn
awr.*

'Mae'n rhaid bod yna ffordd arall,'

meddai, gan droi tudalen ar ôl tudalen
o'r hyn roedd gan Alice James i'w
ddweud am ddigwyddiadau'r noson y
llwyddodd hi i dorri'r swyn oedd wedi
cuddio'r trysorau cyhyd. 'Mae'n rhaid!'

Roedd ei feddwl ar ras, yn profi ac yn
gwrthod pob llwybr a phosibilrwydd yn
ei dro nes mai dim ond un oedd ar ôl.

Gwenodd a chydio mewn darn o
bapur glân a dechrau ysgrifennu.

Graham Hughes
Non Owen
Cai Adams

NAWR EWCH I'R TIR TYWYLL